すぐに使える

ビジネス英語便利帳

Business English Handbook

生駒隆一 著
Ryuichi Ikoma
ケリー伊藤 監修
Kelly Itoh

研究社

はしがき

レスポンスの速さと即断即決が求められる現代の国際ビジネスでは、高いレベルのコミュニケーション力が求められています。その基本として、わかりやすく相手に誤解を与えないシンプルで透明感のある英語が求められています。

海外とのビジネスで失敗しないための「要(かなめ)」は、口頭による約束ではなく、メールやレター、議事録などによる相互確認と合意内容の記録です。言語や文化を超えて相互の利益を確定するためには、誰にでも理解できる平易な単語やシンプルなフレーズを使うことによって相手に誤解を与えない「うまい英語」が必須です。すなわちプレイン・イングリッシュ（plain English）が求められています。

しかし、一朝一夕にはグローバル人材に求められる「うまい英語」に到達することが難しいことは、ご理解いただけると思います。TOEIC のスコアが最低でも 800 点を超える基礎力がないと、上司や先輩からの指導や英語研修受講ぐらいでは、英語力はなかなか伸ばせません。

では、英語に自信のない者がどうやって目前の難局を乗り切ればよいのか。答えは簡単！「正解」をマネすることです。お手本をそのまま使うしかありません。

本書は、即戦力として役に立つビジネス英語の「正解」をできるだけコンパクトにまとめて、実用的であることを最大の特徴としています。まずは正解のマネによって、メール作成やミーティング設定、会議での挨拶、電話応対などの様々なビジネスシーンを切り抜けてください。

執筆にあたっては、日本におけるプレイン・イングリッシュの第一人者であり、心から尊敬するケリー伊藤先生にご指導いただき、監修者として例文を徹底的に磨き上げていただきました。心より感謝しております。また、研究社編集部の佐藤陽二さんならびにケリーズイングリッシュラボの浪岡礼子さんには出版にかかわる貴重なアドバイスをいただき大変お世話になりました。

多くの方のご支援によって本書を出版することができましたことを、心より御礼申し上げます。

2020 年 早春　生駒 隆一

本書の使い方

(1) 本書は Part 1 から Part 4 までの 4 部構成です。

(2) Part 1 は電子メールについて、どのようにして効果的な書き方をすればいいかを場面・状況別に解説しています。

(3) Part 2 は電話について、場面別にどうやって切り抜けたらいいかを中心に解説しています。

(4) Part 3 はミーティングの効果的な進め方や対応の仕方を中心に解説しています。

(5) Part 1〜3 は、文例を中心に展開しているので、実際に使用するときのサンプルとして、あるいは、これから始まるビジネスシーンに対応するために丸暗記するなどして活用するといいでしょう。

(6) Part 4 はビジネス英語において重要なのに見落とされている情報を厳選して解説しています。ビジネス英語の力を磨くために、まずはしっかり読むことをお勧めいたします。

(7) 最後に付録としてビジネスレターのモデル例を 6 パターン収録しました。ビジネスレターを書かなければならないときの手本として活用できます。

(8) 索引では日本人に盲点となりがちな事項や表現などを中心に項目をセレクトしました。知りたい情報を検索するほか、本書の復習として、取りこぼしがないかチェックするのにも使えます。

――〈目　次〉――

Part 1
ビジネス・メール

英文法には厳格な基本ルールがあり、英作文ではこれにキッチリと従うことになります。

ところが言い回しや成句・慣用句になると、そのルールや『べし・べからず』については、まさに議論百出。そしてこの議論に終止符を打つような万能回答が出ていないのは、作文する各人の好みや経験、そして職場での慣例などが千差万別だからです。

したがって、現実的には、各人が置かれている状況下で、上司や先輩などからの様々な意見や修正指示に迷いながら臨機応変に対応しているのが実情だと思います。

本パートは、英語を得意としていない読者の方々が、個々のビジネス環境に左右されることなく、礼儀正しいキチンとした英文ビジネス・メールを正確に・早く・簡単に書くための「あんちょこ」です。

本書を常に手元に置いて、「外野席からのヤジ」に負けずに、迷わず・効率よく・効果的なメールを作成してください。

〈注意〉

英語圏とのビジネスにおいては、たとえ御客様との間ですでにメールやレターを数回やり取りしていたとしても、こちらから発出するメールやレターにおいてはくだけた・親しげな文章表現は、場合によっては受信者に対して馴れ馴れしいという逆効果の印象を与えます。これは書き出しの敬辞（Dear など）や文末の結びの辞（Sincerely yours, など）にも密接に関係しますので要注意です。

【Part 1 の内容】

1　書き出しフレーズ

苦手な英文メールの作成も、うまく書き出すことができれば、意外と簡単に仕上げることができます。海外ビジネスの典型的なシーンを想定して、すぐに使える書き出しを提示します。自分のケースに適したパターンを見つけて活用してください。

1.1　名宛（敬辞）

(1) 一般的なビジネス・メールの標準は苗字だけに宛てる	• **Dear Mr.（または Ms.）Smith:** **（スミス様）**
(2) 受信者の氏名が不明の場合	• **To whom it may concern:** **（関係者各位）**
(3) 受信者の性別が名前で判断できない場合 ➢ 但し、この書き方は「相手が誰でもいい」というマイナス印象を与えるので、あまり勧められません ➢ 氏名から性別を判断するウェブサイトは多数あります 例えば GenderChecker.com	• **Dear Ashley Smith:** **（アシュリー・スミス様）** • **Dear K. Johnson:** **（K・ジョンソン様）**
(4) 受信者が 2〜3 名の場合	• **Dear Mr. Smith and Ms. Jones:** **（スミス様、並びにジョーンズ様）** • **Dear Mr. Hammond, Mr. Clark, and Ms. May:** **（ハモンド様、クラーク様、並びにメイ様）**

(5) 受信者が4名以上の場合 この書き方は、同じ部内やプロジェクトチーム内で、自分と同じ職位か部下に宛てる場合に限ります。 ★自分より上位職が含まれる場合は使えません。	• **Dear Colleagues:** **(関係者各位)**

■ 受信者の氏名に日本式の **-san (〜さん)** を付けることは、できれば避けてください。(例えば Dear Mr. Smith-**san** や Peter-**san**)
英語圏の相手に日本語表現を使用することは、受け取る相手にとって『押し付けがましい』との印象を与える場合があることに留意してください。

■ 女性を宛先にする場合は、基本的には全て **Ms.** を使います。
【例外】相手が **Mrs.** (既婚女性) または **Miss** (未婚女性) と記載することを希望する場合。

■ ***Dear*** **〜** の後ろは**コロン (:)** を使います。
【注意】カンマ (**,**) を使うのは、ビジネス英語としてフォーマルではないとされています。

1.2 メール・電話連絡・会議の言及

相手のメールに言及	• **Regarding your email of** July 1, ... (貴殿の7月1日付のメールに関して、…)
自分のメールに言及	• On July 1, I **emailed you regarding** the contract. (7月1日に、契約についてメールを送りました)
電話連絡や会議に言及	• **As we agreed in the teleconference** on July 1, the next meeting will take place at our Tokyo office. (7月1日の電話会議で合意したように、次回のミーティングは弊社東京オフィスで開催します)

質問メールに回答	• **Regarding your** first **question**, we don't expect any problem with delivery. （貴殿の最初の質問に関し、弊社は納期に問題は全く無いと思います）
要求メールに返信	• **Regarding your request for** information on the project, attached is ... （プロジェクトに関する情報の要求に関し、このメールに添付したのは…）
メールの目的を伝える	• **I am writing to explain** the current situation of the project. （プロジェクトの現状を説明するためにメールします）
メールや打合せに謝意を示す	• **Thank you for your email of** July 1. （7 月 1 日付の貴殿のメール、ありがとうございます）

1.3　情報や資料の請求

製品やサービスの問い合わせ	• **I am writing to ask about** your company's products and services. （貴社の製品やサービスについて問い合わせるためにメールします）
相手の技術情報を要求	• **We are writing to request** information on your manufacturing process. （貴社の製造プロセスに関する情報を要求するためにメールします）
問い合わせの理由	• Please explain the process in more detail **because we need to** decide if it meets our requirements. （プロセスについて、さらに詳細に説明してください。なぜならば、それが弊社の必要条件を満たすかどうかを判断したいからです）
追加情報の請求	• **In addition, could you inform us of** any possible delay? （その他に、遅延の可能性について知らせていただけませんか）

詳細情報や資料の請求	• **Would you send me further details about** the bidding process? （入札手続きについて、さらに詳細を送っていただけますか）

1.4　連絡

一般	• **This is to inform you that** we received your quotation on June 1. （貴社の見積書を 6 月 1 日に受領したことをお知らせします）
良い知らせ	• **I am pleased to let you know that** we have decided to increase our order. （貴社への注文を増やすことに決定したことをお伝えできて嬉しいです）
悪い知らせ	• **Unfortunately, we cannot provide** detailed schedule information now. （残念ながら、現時点では詳細なスケジュール情報をお渡しできません）
追加情報	• **In addition, please note that** the meeting room has changed to Room 2. （その他に、打合せの部屋が第 2 会議室に変更されたので留意してください）

1.5　確認

明確な説明を求める	• **Could you please clarify** the differences between the proposed plans? （提案された複数の計画について、違いを明確にしていただけませんか）
確認を求める	• **Please confirm** your attendance at the June 1 meeting. （6 月 1 日の会議への出席を確認してください）

明確にする 確認する	• **This is to confirm that** I will be attending the June 1 meeting. (6月1日の会議に私が出席することをここに確認します)

1.6　依頼・同意・断り

依頼	• **Would it be possible to** reschedule the next project meeting? (次回のプロジェクト会議の開催予定を変更できますか)
相手の依頼に応じる	• **We are happy to** submit a detailed breakdown of our new price. (喜んで弊社の新しい価格の詳細な内訳を提出させていただきます)
依頼を断る	• **Unfortunately, I will not be able to** attend the meeting on July 1. (あいにく、7月1日の会議に出席することができません)

1.7　提案・助言

提案	• **I suggest (that)** we postpone the submission closing date. (提出締切日を遅らせてはどうでしょうか)
勧める 助言する	• **I recommend** confirming the production capacity with the supplier. (生産能力を、納入業者に確認したほうが良いと思います)

1.8 問題点の言及・対処・謝罪

問題や間違いに言及	• Thank you for **bringing this matter to our attention**. （本件を弊社に対してご指摘いただき、ありがとうございます）
問題や間違いに対処	• We are currently **looking into the cause of** the mistake. （現在、弊社はこの間違いの原因を調査中です）
問題や間違いを謝罪	• **Please accept our apologies for** any inconvenience this may have caused. （この度はご不便をおかけしたようで、誠に申し訳ありません）
問題や間違いの理由	• The delay was **due to** an accident during construction. （この遅延は、建設工事中の事故が原因でした）
問題の解決 間違いを正す	• We are **taking all the necessary steps** to solve the problem. （問題を解決するために、弊社は必要な手立てをすべて講じています）
問題解決の約束	• **We assure you that** we will be able to meet your production volume requirements. （貴社が要求する生産量を達成できます。ご安心ください）

1.9 メッセージの締め

サポートを申し出る	• **Please feel free to contact us for** any information you may need. （必要な情報があれば、遠慮なく弊社にお問い合わせください）
アクションを求める	• **Please** send me the proposal before July 1. （7月1日より前に、提案書を私に送ってください）
急ぐことを求める	• **We look forward to** hearing from you before the end of August. （8月末になる前に、貴殿から連絡があることを期待します）

一般的な結び（相手からの返信を期待する場合）	• **I look forward to hearing from you.** （貴殿からの連絡をお待ちしております）
結びの言葉（結辞）	Sincerely yours, / Best regards, など **＊付録 1 を参照。**

2　社内にはびこるダメ表現

同僚や上司の英文メールを見てみると、古い・長い・不自然なフレーズや間違った表現が使われていないでしょうか。このような表現を使うと相手に悪い印象を与えかねません。今時の英語として不自然な表現はぜひ避けるようにしましょう。

2.1　ダメ表現キーワード

下に「ダメ表現キーワード」を示します。2.2 の「ダメ表現から適切な表現へ」を読む前に、なぜダメなのか考えてみてください。

〈ダメ表現キーワード〉

a:
- **above**（上記の）
- **acknowledge**（受領を確認する）
- **advise**（通知する）
- find **attached**（添付を見る）

b:
- **by**（〈特定の日時〉までに）

c:
- at your **convenience**（都合がつくときに）

e:
- in the **event** that ～（もし～の場合）

k:
- **kindly**（どうぞ〔～してください〕）

o:
- **our** Mr.（Ms.）～（弊社の誰それ）

p:
- be **prepared** to ～（～するつもりだ）
- at **present**（現在）
- **prior** to ～（～の前に）
- **pursuant** to ～（～に従って）

r:
- be in **receipt** of ～（～を受領する）
- **reason** why（なぜかという理由）

- **regret** to ～（残念ながら～）

s: • **said**（前述の）

t: • **thank you in advance**（あらかじめ御礼申し上げます）

u: • **undertake**（請け負う）

2.2 ダメ表現から適切な表現へ

次に「ダメ表現」をどのように「適切な表現」にすればいいかを表にしてまとめました。まず、ダメ表現のどこがまずいのかを確認して、自分ならこうすると考えたあとに、適切な表現を確認するようにしてください。シンプルかつ必要な意味が伝わっていれば、すべて「適切な表現」です。いずれにしても、先に適切なモデルを覚えてしまうことをお勧めします。

キーワード	× ダメ表現	○ 適切な表現
above（上記の）	• *see the **above** figure* *（上記の図を参照する）* 「上記」だけでは場所が曖昧なので、可能な限り具体的に指示する。	• Please see the figure **on page 3**. （3 ページの図を参照してください）
acknowledge（受領を確認する）	• *We **acknowledge** (receipt of) ...* *（…を確かに受領しました）* 古く堅苦しい表現なので、もっと易しい表現を使う。	• We **received** the technical specifications for the ABC project. （ABC プロジェクトの技術仕様を受領しました）
advise（通知する）	• *We **advise** you that ...* *（…を、お伝えします）* ビジネスの「通知する」の意味とは合わないことが多い。	• We **would like to inform** you that your request to extend the deadline has been approved. （締め切り日を先に延ばしたいという貴殿の要求が認められたことをお伝えします）

find attached （添付を見る）	• *Please **find attached** ...* （*添付した…を見てください*） 添付していることだけを述べれば十分。	• **Attached is** a draft of the secrecy agreement. （添付は機密保持契約書の案です）
by （〈特定の日時〉までに）	• *Please submit the proposal **by** July 4.* （*7月4日までに提案書を提出してください*） 期限を意味する［by］の定義については、英米の専門書においても『当日を含めない／含める』との様々な解釈があるので、誤解を避けるために使用しないこと。	• Please submit the proposal **no later than** July 4. （遅くとも7月4日には、提案書を提出してください）
at your convenience （都合がつくときに）	• ***at your earliest convenience*** （*できるだけ早く*） 漠然としているので、使用しないこと。	※1つ上の **by** を参照。
in the event that ～ （もし～の場合）	• ***In the event that** there is a delay in...* （*もし…に遅延が発生した場合は*） 回りくどいので、もっとシンプルに述べたほうが好ましい。	• **If** there is a delay in the production schedule, we will need to consider an alternative supplier. （生産スケジュールに遅れが出る場合は、弊社は代替の供給業者を検討する必要があります）
kindly （どうぞ〔～してください〕）	• ***You are kindly requested** to...* （*どうか…していただけませんでしょうか*） 非常に古い表現で、現在では使わない。	• **Please** submit the application no later than July 1. （申請書類は、遅くとも7月1日には提出してください）
our Mr.（Ms.）～ （弊社の〔誰それ〕）	• ***Our Mr. Yamada** will contact you.* （*弊社の山田が貴殿に連絡します*） 「Our＋Mr. ○○」は誤り。この誤りは非常に多いので注意。	• Mr. Yamada, **our project manager**, will contact you. （弊社のプロジェクトマネジャーの山田が貴殿に連絡します）

be prepared to ～（～するつもりだ）	• *We **are prepared to** ...* *（弊社は…する準備ができています）* prepared は、「覚悟」を表すので、ビジネスでは使わないほうがよい。	• We **can** guarantee the catalyst's performance under normal operating conditions. （通常の運転状態においては、弊社は触媒の性能を保証できます）
at present（現在）	• ***at present** stage* *（現段階では）* now だけで十分。	• We cannot provide more details **now**. （今の段階では更なる詳細は提供できません）
prior to ～（～の前に）	• ***prior to** completion of the project* *（プロジェクトの完成の前に）* 古い表現で、現在では使わない。	• There will be several opportunities to visit the plant **before** the completion of the project. （プロジェクトの完成の前に、プラント訪問（見学）の機会が何度かあります）
pursuant to ～（～に従って）	• ***pursuant to** your instructions* *（貴殿の指示に従って）* 非常に古い表現で、現在では使わない。	• We have changed the design **according to** your instructions. （貴殿の指示に沿って、弊社は設計を変更しました）
be in receipt of ～（～を受領する）	• *We **are in receipt of** ...* *（…を、まさに受領しております）* 回りくどい。	• We **received** your proposal for the ABC project. （ABC プロジェクトの貴社の提案書を受領しました）
reason why（なぜかという理由）	• *The **reason why** we would like to extend the deadline is ...* *（締切日を延ばしたいのはなぜかという理由は、…）* 同義語の反復は避ける。	• We would like to extend the deadline **because of** a supply problem. （供給上の問題により、弊社は締切日を延ばしたいと存じます）
regret to ～（残念ながら～）	• *We **regret to** inform you ...* *（残念ですが、お伝えするのは…）* 形式張った表現は避ける。 〈Part 1 の第 1.4 項を参照〉	• **Unfortunately**, we will not be able to attend the meeting on July 1. （あいにく 7 月 1 日の会議には弊社は出席することができません）

said （前述の）	• *a discussion of **said** issues* （*前述の問題に関する議論*） saidのこの使い方は法律用語に多い。	• We would like to discuss **these** issues in the meeting on July 1. （弊社は、これらの問題を7月1日の会議で議論したいと存じます）
thank you in advance （あらかじめ御礼申し上げます）	• ***Thank you in advance** for ...* （*…について、あらかじめ御礼申し上げます*） 『厚かましい』という印象を受信者に与える場合が多いので、使用しないこと。	• I **would appreciate** your support in this matter. （本件に対する貴殿のご協力が得られると、大変ありがたく存じます）
undertake （請け負う）	• *The work to be **undertaken** by ABC Corporation is ...* （*ABC社が請け負う業務は…*） undertakeは、否定的なことをやる場合に使うケースが多い。	• ABC Corporation will **carry out** all of the construction work. （ABC社は、全ての建設工事を遂行します）

3　日時と数字の書き方

英作文する際にみなさんは文法にこだわるあまり、意外に見落としている重要な基本ルールがあります。海外ビジネスにおいて最も大切なのが日時と数字です。両者の書き方が不適切であると、相手に間違った情報が伝わるリスクがあります。日時と数字の書き方のルールは必ず覚えるようにしてください。

3.1　日時の書き方

日時の書き方には一定のルールがあります。適当にごまかさずに、ルールにのっとって書くようにしてください。

(1)　時刻

■「午前」「午後」は、a.m. / p.m. と表記：10:30 a.m.　2:05 p.m.

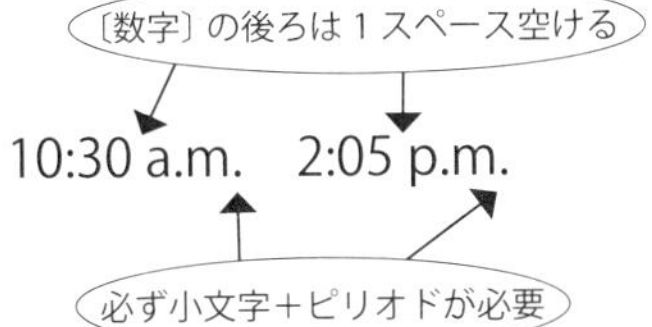
〔数字〕の後ろは１スペース空ける
必ず小文字＋ピリオドが必要

※午前 0 時（夜中 12 時）→ 12:00 a.m.
　午後 0 時（昼間 12 時）→ 12:00 p.m.

■「0 分」の時刻は、:00 無しで表示：10 a.m.（10:~~00~~ a.m.）
ただし、複数の時刻を列記する場合は、統一させて :00 を付記します。

1:00 p.m.	Arrive at Narita Airport	（成田空港到着）
2:30 p.m.	Bus to Tokyo	（バスで東京へ）
5:00 p.m.	Hotel check-in	（ホテルにチェックイン）
6:45 p.m.	Meet in hotel lobby	（ホテルのロビーで待ち合わせ）
7:00 p.m.	Dinner	（夕食）

■ 真夜中の 12 時（午前 0 時）と昼間の 12 時（午後 0 時）は、誤解を避けるために midnight と noon を用います。

・There will be a one-hour lunch break at noon.
（正午には、1 時間のランチ休憩があります）

・All room lights will be switched off at midnight sharp.
（夜中の 0 時キッカリになると、部屋の全ての照明は消灯されます）

（2） 日付

■ 通常の文章では、

［日］の後ろは、カンマ＋1 スペース空ける

〔月（スペルアウト）日（算用数字）, 西暦年（算用数字）〕：November 16, 2020

［月］の後ろは、カンマ無し＋1 スペース空ける

■ 月と西暦年だけの場合：November 2020

〈例外〉 表やチャートなどにおいてスペースが限られる場合には、ハイフンやスラッシュを使って表記することも可能です。

11-16-2020 または 11/16/2020

■ 日を表す序数

ビジネス書簡（メール・レター・議事録など）においては、日を表す序数（1st, 2nd, 3rd, …）は好ましくありません。数字だけの表示にしてください。

・The meeting is scheduled for July 1, 2020.（July 1~~st~~）
（会議は、2020 年 7 月 1 日に予定されています）

・Construction will commence on Monday, March 27, 2021.（March 27~~th~~）
（建設工事は、2021 年 3 月 27 日の月曜日から開始されます）

(3)　曜日と月の略記

〈1 週間〉

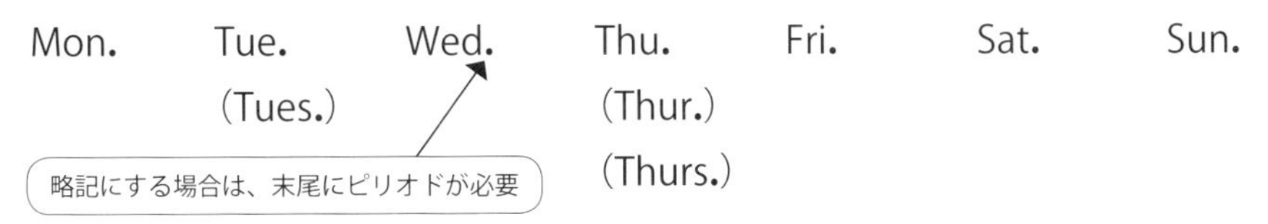

〈12 ヵ月〉

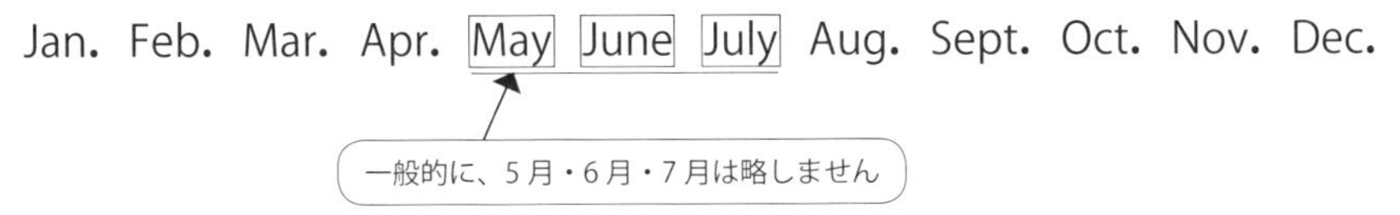

(4)　年代

例：1970 年代＝1970s または ’70s

1900 を省略するためには、70 の前にアポストロフィーが必要

3.2　数字の書き方

数字の書き方は苦手な人が多いようです。しかし、基本ルールさえ押さえればそれほど難しくありません。苦手意識を払拭するためにも、先にルールを身につけてしまいましょう。

(1)　数字の表記

■ 一桁 (1 から 9)：one から nine までスペルアウトする

■ 二桁以上 (10 以上)：算用数字 (10, 11, 12, …) を用いる

■ 1 つの文章に複数の数字がある場合：二桁の数字があれば、その他が一桁でも、算用数字で統一する。

- We constructed 9 refineries in Asia, and 15 in the Middle East.
  (弊社は、アジアで 9 ヵ所、そして中東では 15 ヵ所の製油所を建設しました)

例外 ① 文の初めは、必ずスペルアウトします。

- One hundred and fifty people attended the opening ceremony.

(開会式に 150 人が参加しました)

但し、西暦年は除きます。

- 2015 was an important year for ABC.

(2015 年は、ABC 社にとって重要な年でした)

例外 ② 年齢は、必ず算用数字で表記します。

- His son is 6 years old.

(彼の息子は、6 歳です)

(2) 通貨の表記

【記号】¥, $, £, € などは数字の前に置く。(記号と数字の間はスペース無し)

- Income in fiscal 2017 was $140,500.

(会計年度 2017 年の収入は、140,500 ドルでした)

【略語】JPY, USD などは数字の前に置く。

(略語と数字の間は 1 スペース空ける)　(数字と単位の間は 1 スペース空ける)

- Expenses in fiscal 2018 were JPY 98 million.

(会計年度 2018 年の経費は、9,800 万円でした)

4　不在メール

ビジネスにおけるメール交信では、常に礼儀正しい書式が望ましいことは前述した通りです。自動応答メッセージにおいても、ビジネスマナーは重要ポイントです。発信者の自動応答が自分の実力として評価されていることに注意が必要です。

4.1　挨拶

発信するメールの相手が不明であれ、やはり文頭には丁寧な挨拶が必要です。したがって、1 行目には必ず定番の挨拶フレーズを記載してください。

- Thank you for your email.
（メール、ありがとうございます）

4.2　不在期間と対応

不在メールでは必ず不在期間と返事をする旨を記すようにしましょう。

必ず **the** が必要！
「the」が無い out of office は
失職や政権離脱の意味

(1)　不在期間を明記する

- I am out of the office and will return on Monday, February 13.
（私は外出しており、2 月 13 日の月曜日にオフィスに戻ります）

（2）　**帰任後の対応を明記する**

- I will reply to your email after I return.

（戻りましたら、貴殿のメールに返信します）

〈**注意**〉
『戻り次第、返事します』を英訳する場合の注意点
▼ 返事のタイミングは、時間的な余裕を持つために、after を使うこと。
▼ when を使うと、オフィスに戻った日の当日中に返信することを約すことになります。

4.3　メールの可否

不在時のメール環境へのアクセスについて併記し、相手の緊急度によっては連絡可能である（または全く連絡できない）旨を明確にすることは、担当するビジネスの内容によっては重要なポイントになります。

- I will have no access to my email.

（私は、メールへアクセスできません）

- I will have limited access to my email.

（私のメールへのアクセスは、限定的になります）

4.4　代行者

不在時に相手の要求に対応するための代行者の連絡先を記載することもビジネスマナーの一つです。営業的な業務の担当者であれば、特に重要。

- For immediate assistance, please contact

（お急ぎの場合のサポートは、以下にコンタクトしてください）

Name: Mr. Taro Suzuki

Email: suzuki.taro@abccorp.com

Cell（携帯電話）: 123-456-7890

- For urgent administrative questions, please contact
（緊急の事務的なご質問は、以下にコンタクトしてください）

  Name: Ms. Yoshiko Takeda

  Email: takeda.yoshiko@abccorp.com

  Phone: 456-789-1234 (extension（内線）: 5347)

4.5　メッセージの締め

自動応答メッセージの結辞をどうすればいいかについては、二つの意見があります。どちらでもかまいません。本書では①をお勧めします。

① メールと同様に、Sincerely yours, ＋ 名前と部署と社名

② 結辞無しでシンプルに、名前と部署と社名のみ

〈自動応答メッセージ例〉

Thank you for your email.
（メール、ありがとうございます）

必ず **the** が必要！

I am out of **the** office and will return on Monday, April 1.
（私は外出しており、4月1日の月曜日にオフィスに戻ります）
I have no access to my email, and will respond after I return.
（メールへアクセスすることができませんので、戻りましたら返信します）

For immediate assistance, please contact
（お急ぎの場合のサポートは、以下にコンタクトしてください）
Name: Mr. Taro Suzuki
Email: suzuki.taro@abccorp.com
Phone: 01-234-5678

業務上の必要に応じて記載してください

Sincerely yours,

Ken Yamada
Technology Business Section（技術営業課）
ABC Corporation

〔付録 1〕Best regards, に要注意！

メールなどで好んで用いられる結びの言葉（結辞）の **Best regards**, は、"**じゃぁね**", "**よろしくね**", "**それじゃ！**" というような、くだけた印象を与える表現です。

フォーマルな敬辞 **Dear ～ :** に対応する結辞としてはカジュアル過ぎるので合いません。

結辞の適切な用法

宛先＝お客様・協働者など

結辞	用法
Respectfully yours, Respectfully,	**〈フォーマル〉** • 主に外交や政府関係者への公式な手紙。 • お客様や協働者の上級職や経営陣へ宛てる場合。
Very truly yours, Yours very truly, Yours truly,	**〈ややフォーマル〉** • キチンとしたビジネス書簡において使われます。 • お客様や協働者への初期のビジネス書簡に適します。
Very sincerely, Very sincerely yours, **Sincerely yours,** Yours sincerely, Sincerely,	**〈一般的なビジネス用〉** • お客様や協働者と親しい関係になった場合。（初期段階を超えて） • **Sincerely yours**, はビジネス全般で使用されており、無難です。

↑ フォーマル&ビジネス

宛先＝友人・社内・グループ会社

結辞	用法
Best wishes, Best regards, Kindest regards, Regards, All the best, Cheers,	**友人関係や、最もくだけた場合に使用：ビジネスでは避けたい** • 発信者と受信者がファーストネームで呼び合っている場合が対象です。友人や社内・グループ会社のスタッフ間の場合は、「Hello や Hi＋ファーストネーム」とのセットで使用可能。 • お客様や協働者が、このようなくだけた結辞を使用する場合も多数あります。しかし、ビジネスの相手に対する敬意と英語の高品位を保持するためにも、くだけた結辞を避けることが望ましい。

↓ カジュアル

〔付録 2〕お勧めの書式

件名： **Cost Analysis Meeting for Mid-East LNG Project**

（中東の LNG プロジェクトのコスト分析会議）

宛先の役職が上級職や経営陣、および内容が正式や丁寧な場合は、社名・氏名（full name）・役職を左上に併記する Inside Address（形式）のほうが、失礼が無く無難。

XYZ Corporation　社名
Mr. John Smith　氏名（full name）
Senior Vice President　役職

英文のビジネスメールでは、受信者氏名に日本式の **-san（さん）**をつけることは、避けることが望ましい。（例：Dear Smith-**san**）
日本のビジネスにおいても、お客様などに対して『○○**さん**』とは書かないはずです。

英語圏の相手に日本語表現を使用することは、場合によっては受け取る相手に『**押し付けがましい**』との逆効果の印象を与えることもあるので留意してください。

敬　辞
Dear Mr. Smith:

As we discussed in our July 4 telephone conversation, we would like to hold the Cost Analysis Meeting at 9 a.m. on August 30 at our Tokyo headquarters.
（7 月 4 日の電話会議で打ち合せたように、コスト分析会議を 8 月 30 日の午前 9 時から弊社の東京オフィスで開催したいと存じます）

Proposed agenda:
（議題の案は）
(1)
(2)
(3)

Please let me know if you have any suggestions regarding the proposed agenda.
（議題の案について、何か提案があれば、私に連絡してください）

フォーマルな書き出しの敬辞（salutation）の **Dear** に対して、Best regards, や Regards, はくだけ過ぎで、マッチしません。

英語圏のビジネスにおいて、**くだけ過ぎ**た表現は、場合によっては**馴れ馴れしさ**や**不快**な印象を与えかねないので、充分留意してください。
★詳細な解説と用例は、**付録 1** を参照してください。

結　辞
Sincerely yours,

Ken Yamada
Product Manager
Technology Business Section
ABC Corporation

Part 2
ビジネス電話

　英語で電話をすることは、目の前に相手がいないので身ぶり手ぶりで伝えることもできませんし、時間をかけずに応対しなければならないので、苦手な方も少なくないでしょう。ビジネス電話では経験も重要です。ただし、ビジネス電話の場合、そこでやりとりされる内容はだいたいのところは決まっています。パターンを覚えてしまえばなんとかなることがほとんどですから、しっかり覚えて、あとは思い切ってやるのみです。

【Part 2 の内容】

1　電話をかける

多くの人が苦手とする海外への電話も、キーポイントさえ押さえれば、あとは何とかなるものです。**最初の挨拶 → 電話の目的 → 相互の意見の確認 → 締めのセリフ**とつなげるだけで大丈夫。電話をかける際にポイントとなる基本的なフレーズをご紹介しますので、英語で電話をする際は、これらの例を活用してください。

1.1　挨拶と自己紹介

電話をかけるときにまずやるべきは、挨拶と自己紹介です。これは丸暗記で対応できます。

- 電話をかけるのは、ABC 社の山田 健さん (Ken Yamada)

　▼*電話の相手は、XYZ 社の Mr. Bob Smith*

(1)　電話の相手を知らない場合

- **Hello, is this XYZ?**　(もしもし、XYZ 社ですか)

　▼*Yes. How can I help you?*　*(はい、そうです。どのようなご用件でしょうか)*

- **My name is Ken Yamada with ABC.**　(私は ABC 社の山田 健と申します)

　⇩さらに続けて

- **May I speak to Mr. Smith?**　(スミスさんをお願いします)

～本人の場合～

　▼***Speaking.***　*(私です)*

　*(または、**This is Bob Smith.**　私がボブ・スミスです)*

〜本人ではない場合〜

▼***One moment, please. I will put you through.***

（少々お待ちください。本人に転送します）

*（または、**Please hold the line.**　少々お待ちください）*

〜電話番号が違う場合〜

▼***I am sorry, but you have the wrong number.***　*（番号が違います）*

*（または、**I am sorry, but there is no one here by that name.**　該当者はいません）*

• **Oh, I see. Thank you.**　（ああ、そうですか。ありがとうございます）

（2）　電話の相手を知っている場合

• **May I speak to Mr. Smith?**　（スミスさんをお願いします）

〜本人の場合〜

▼***Speaking.***　*（私です）*

• **Hello, Mr. Smith. This is Ken Yamada from ABC. How are you?**

（こんにちは、スミスさん。私は ABC 社の山田 健です。お元気ですか）

▼***Oh hello, Mr. Yamada. I'm good, thanks. And you?***

（ああ、こんにちは、山田さん。私は元気です、ありがとう。あなたは？）

• **Good, thank you.**　（元気です、ありがとうございます）

1.2　目的を伝える

挨拶と自己紹介ができたら、速やかに電話をかけた目的を伝えます。できるだけ簡潔に伝えることを心がけましょう。

(1) ビジネスの打診

ビジネスの可能性について話したい

- I would like to discuss possible business opportunities with XYZ.
  (XYZ 社とのビジネスチャンスの可能性について、お話しさせてください)

(2) 現状の確認

作業の現状を確認したい

- I would like to confirm the current status of the engineering work.
  (私は、現在のエンジニアリング作業の状況を確かめたいのです)

- Please give me an update on the status of the engineering work.
  (エンジニアリング作業の最新の状況を教えてください)

- I'm calling to check the current schedule of the XYZ Project.
  (私が電話したのは、XYZ プロジェクトの現在のスケジュールを調べるためです)

(3) 意見交換

現状で抱えている問題について率直な意見を交わしたい

- I would appreciate your candid opinion on the reasons for the current delay.
  (現在の遅れの理由について、あなたの率直な意見をいただけたら、うれしいです)

- I would like to hear what you think of the current delay.
  (現在の遅れについて、あなたがどう考えるのかを、聞かせてください)

(4) 補足説明

内容を補足したい

- I would like to add a couple of points to the design changes.
  (私は、設計の変更にいくつか重要なことを追加したいのです)

• Could I just give you some more information about the design changes?

（設計の変更に関して、私はあなたにもう少し情報を提供したいのです。よろしいでしょうか）

1.3　本題に入る

いよいよ本題を伝えます。ここでは、自分の意見を伝える、相手の意見を求める、返事を確認する、の 3 つに分けました。

（1）　意見を伝える

プロジェクトについて、自社の意見を伝える

• Regarding Project XYZ, ABC believes that the safety procedures should be examined.

（XYZ プロジェクトに関して、ABC 社としては安全手順を検査すべきだと考えます）

• Regarding Project XYZ, we feel that further discussion on the schedule is necessary.

（XYZ プロジェクトのスケジュールについて、さらに議論が必要だと思います）

○月○日付の自社のメールに言及して、意見を伝える

• As I mentioned in my email of July 4, ABC recommends postponing the announcement until a certain day.

（7 月 4 日付の私のメールに述べましたように、ABC 社としてはその発表をある特定の日まで延期することを勧めます）

• As I stated in my July 4 email, we would like to discuss the issue further before making a final decision.

（7 月 4 日付の私のメールに提示しましたように、最終決定の前に、弊社はこの問題についてさらに話し合いたい）

相手の要請に沿えないことを伝える

- ABC has decided not to submit a bid because of the current market conditions.
  (現在の市況から判断し、ABC 社は入札しないことを決定しました)

- Unfortunately, we have a different opinion regarding the best way to implement the procedure.
  (手続きを実施する最良の方法について、残念ながら弊社の意見は異なります)

(2) 意見を求める

○月○日付の自社のメールの内容について相手の意見を求める

- Regarding my email of July 4, please give me your feedback on the problems I mentioned.
  (7 月 4 日付の私のメールで言及した問題点について、あなたの提案をいただきたい)

- I would like to hear your thoughts on the topics I mentioned in my email of July 4.
  (7 月 4 日付の私のメールで話題にしたトピックスについて、あなたの考えをお聞きしたい)

(3) 返事の確認

相手がいつまでに返事できるかを確認する

- Could you tell me when you will be able to give us an answer to our proposal?
  (我々の提案に対して、いつまでに回答を頂けるのか教えてください)

- Please let me know when we can expect your reply to our request to change the specifications.
  (我々がお願いした仕様変更に対するあなたの回答は、いつごろの予定になりますか)

1.4　会話終了の定番

伝えるべきことを伝えたら、会話を締めます。何を言っていいかわからなくても、いきなり電話を切ったりしないで、少なくとも定番表現で締めるようにすれば大丈夫です。

(1)　応対に感謝

親切・率直な回答に感謝する

- Thank you very much for all your help. I really appreciate your candid answers.
  （ご協力、大変ありがとうございました。あなたの率直な回答に感謝します）

- Thank you for your candid responses, they are very helpful.
  （あなたの素直な対応に感謝します。とても助かります）

(2)　追ってメールすると伝える

電話で話した内容の確認のために、追ってメールすることを伝える

- I will email you soon to confirm what we have talked about today.
  （本日は何をお話ししたか確認するために、早めにメールします）

- I will email you to confirm what we have discussed in today's telephone conversation.
  （本日の電話で話し合った内容を確認するために、メールします）

2　電話に出る

海外からの電話に、なかなか手が出ないということはありませんか。ここでは、海外ビジネス担当だけでなく、同僚や秘書の方々にも便利に使える応対例を満載しました。ものおじせず、積極的に海外からの電話に出ることを心がけましょう。

2.1　本人が出る

(1)　受話器を取って挨拶

(a)　相手を知らない場合

- Hello. This is ABC (, Ken Yamada speaking). How can I help you?
  (もしもし、ABC 社（の山田　健）です。どのようなご用件ですか)

- ABC, Customer Service. How can I help you?
  (ABC 社のカスタマーサービスです。どのようなご用件ですか)

(b)　相手を知っている場合

- Hello, Mr. Smith. How can I help you?
  (こんにちは、スミスさん。どのようなご用件ですか)

- Mr. Smith, how are you today?
  (スミスさん、最近いかがですか)

(2)　主旨の確認

(a)　主旨が明確ではないので、再度説明を求める

- May I ask the purpose of your call again?
  (お尋ねの主旨をもう一度、お聞かせください)

- Could you explain that again?

（もう一度、説明していただけますか）

(b) 説明された内容は、自分の担当ではないので、ホームページ内の「お問い合わせ」を利用してほしいと伝える

- I'm sorry, but I cannot help. Please use the **'Contact Us'** page on our website.

（申し訳ありませんが、私ではお役にたてません。どうぞ弊社ホームページの「お問い合わせ」をご利用ください）

- I cannot help. Please use the **'Contact Us'** page on our website to reach the right person.

（私ではお役にたてません。どうぞ弊社ホームページの「お問い合わせ」をご利用いただき、担当者に連絡をお取りください）

(c) 電話だけでは理解できないので、メールによる説明を求める

- Sorry, I don't get the picture. Could you email me?

（申し訳ありません。残念ながらお話の内容がつかめません。メールで連絡してください）

- Could you email me? I don't get the picture.

（メールで連絡していただけませんか。おっしゃっていることが理解できません）

2.2 代わりに出る

(1) 不在を伝える

(a) ちょっと席を外している

- Unfortunately, Mr. Yamada is not available at the moment.

（あいにく、山田は今のところ、席を外しております）

- Mr. Yamada is not available right now.

（今現在、山田は席を外しております）

(b) 終日不在で、翌日は在席

- Mr. Yamada is not in today and will be back tomorrow.
（本日、山田は不在です。明日は戻ります）

(c) 不在で、○月○日にオフィスに戻る

- Mr. Yamada is out of the office for 5 days (2 weeks) and will be back on March 14.
（山田は5日間（2週間）外出しており、オフィスに戻るのは3月14日です）

(d) 本日は勤務を終えて、もう帰宅した

- Unfortunately, Mr. Yamada has left.
（あいにく、山田はもう帰宅しました）

- Mr. Yamada will not be back today.
（山田は、本日はもう戻りません）

(2) 意向の確認

(a) 伝言の有・無、または折り返しの電話が良いかを聞く

- Would you like to leave a message or shall I have Mr. Yamada call you back?
（メッセージを残しますか、またはあとから山田に電話させましょうか）

- Can I take a message or would you like Mr. Yamada to return your call?
（メッセージをいただけますか、または山田から折り返し電話させましょうか）

(b) 伝言がある場合

(b-i) 伝言を残すためにメモを取るので、ちょっと待ってほしいと伝える

- One moment, please.
（少々お待ちください）

• Could you hold the line, please?
（そのまま、お待ちください）

（b-ii） メモの準備ができたので、メッセージを受けると伝える
• All right, I'm ready. Please go ahead.
（はい、準備できましたので、どうぞ（メッセージを）お話しください）

• Hello? I'm ready now.
（もしもし？ 私は（メモの）準備ができました）

（b-iii） メッセージをリピートして内容を確認する
• Can I repeat that? You would like Mr. Yamada to email you the latest schedule for Project XYZ.
（繰り返してよろしいでしょうか。XYZ プロジェクトの最新のスケジュールを山田からあなたへメールすることをご希望ですね）

• So, you would like to know whether Mr. Yamada is attending the conference next month?
（では、山田が来月の会議に出席するかどうかを、お知りになりたいのですね）

（c） 相手が折り返しの電話を希望した場合
（c-i） 不在者本人が相手の連絡先を知っているか聞く
• Does Mr. Yamada have your phone number（email address）?
（山田はあなたの電話番号（メールアドレス）を知っていますか）

（c-ii） 相手の連絡先を聞く
• May I have your phone number or email address, please?
（電話番号かメールアドレスを教えていただけますか）

(c-iii)　相手の連絡先を確認する

- Can I repeat your details? Your phone number is 010-1234-5678.
  (詳細を繰り返してよろしいですか。あなたの電話番号は 010-1234-5678 ですね)

- So that's s-m-i-t-h @ company.com.
  (それは、エス・エム・アイ・ティー・エイチ @company.com ですね)

- Sorry, was that 1234 or 1244?
  (すみません、それは 1234 でしたか、または 1244 でしたか)

- Please repeat the first three digits?
  (最初の 3 ケタをもう一度、繰り返してください)

2.3　会話終了の定番

(1)　お礼を言う

- Thank you for calling. This will give us a better understanding of the current status.
  (お電話ありがとうございます。これによって現状をよく理解することができました)

- I appreciate you describing the current status of the project.
  (プロジェクトの現状を説明していただき、感謝します)

(2)　伝言の約束

- I will give Mr. Yamada your message.
  (山田にあなたのメッセージを確かにお伝えしておきます)

2.4　問い合わせの応対

問い合わせの電話に対応する場合に、どのように答えたらいいかを確認しましょう。できればどの担当者・担当部署かまで確かめるのが望ましいです。いちばん無難なのは、英語が堪能な人に電話を回すことです。

（1） 担当者と代わる

- One moment, please. I will put you through.

（少々お待ちください。おつなぎします）

- Could you hold the line, please? I will put you through.

（そのままお待ちいただければ、おつなぎします）

（2） 担当者・担当部署が不明

- There is no one here by that name. Please use the '**Contact Us**' page on our website.

（ここには、その名前のものはおりません。どうぞ弊社ホームページの「お問い合わせ」をご利用ください）

- There is no department with that name. If you need further assistance, please visit our website and use the '**Contact Us**' page.

（ここには、その名前の部署はありません。お手伝いがさらに必要であれば、弊社ホームページに入り「お問い合わせ」を利用ください）

（3） 問い合わせを断る

- Unfortunately, we don't have a switchboard for outside calls or an operator to assist you. Please use the **'Contact Us'** page on our website.

（あいにく、外部からの電話用の社内交換台やお手伝いできるオペレーターはおりません。どうぞ弊社ホームページの「お問い合わせ」をご利用ください）

- Unfortunately, I am not able to give out that information. Please write your message on the **'Contact Us'** page on our website.

（申し訳ありません、その情報を外部へお伝えすることはできません。どうぞ弊社ホームページの「お問い合わせ」にメッセージをお書きください）

2.5　キケンな電話の回避

厄介な電話に対応しなければならなくなった場合の危機回避の仕方を示します。

(1)　突然のクレーム電話

▼ *I have a complaint about one of ABC's employees.*

(ABC 社の社員の一人に関して苦情があります)

- Could you please call 03-1234-5678 for help?

  (03-1234-5678 に電話して、支援を求めてください)

▼ *I want to make a complaint about ABC Corporation.*

(ABC 社について、クレームをつけたい)

- Please hold the line. I will put you through to a person responsible.

  (そのままお待ちください。責任者におつなぎします)

▼ *I want to talk to someone about a problem I have with your company.*

(貴社との問題について、だれか適任者と話したい)

- Could you please visit our website and use the **'Contact Us'** page for help?

  (どうぞ弊社ホームページに入り、「お問い合わせ」を使って支援を求めてください)

（2） 怪しい問い合わせ

〈社長と話したい〉

▼ *May I speak to the president, please?*

（社長と話をしたい、お願いします）

• I'm sorry, I cannot transfer outside calls to our management. Please use the **'Contact Us'** page on our website.

（申し訳ありません、外部からの電話を経営陣につなげることはできません。どうぞ弊社ホームページの「お問い合わせ」をご利用ください）

〈社長の携帯電話番号が知りたい〉

▼ *Could you give me the president's cell phone number, please?*

（社長の携帯電話番号を教えてください、お願いします）

• I'm sorry, I am not able to give out that information. Thank you for calling ABC. Good bye.

（申し訳ありません、その情報を外部へお伝えすることはできません。ABC 社にお電話いただき、ありがとうございます。失礼致します）

〈○○さんのオフィスはどこにあるか、知りたい〉

▼ *Where is Mr. Yamada's office located?*

（山田さんのオフィスはどこにありますか）

• Sorry, I don't know. Please use the **'Contact Us'** page on our website.

（残念ですが、存じ上げておりません。どうぞ弊社ホームページの「お問い合わせ」をご利用ください）

〔付録〕聞き返しフレーズ

相手の言っていることがわからず、「もう一度言ってください」などと伝える場合の定番フレーズをまとめました。

1. I'm sorry, could you **repeat** that, please?
   「もう一度、繰り返してください」

2. I'm sorry, could you **speak a little more slowly**, please?
   「もう少しゆっくり話してください」

3. Would you mind **speaking more loudly**?
   「もう少し大きな声で話してください」

4. I'm afraid I don't understand what you mean. Could you **explain it another way**, please?
   「よく理解できないので、言い方を変えて説明してください」

5. I'm sorry, could you **clarify** what you mean?
   「よく理解できないので、もっと明確にしてください」

6. Can I confirm that? You need our reply no later than August 15. **Is that right**?
   「その内容を確認させてください。御社は、弊社の回答を遅くとも 8 月 15 日には必要ですね。これでよろしいですか」

Part 3
ビジネス・ミーティング

海外の企業とミーティングを開催する場合、様々な細かい手配が必要となり、慣れないうちは戸惑うものです。

開催する場所と日時の設定、議題の選定、出席者の確認、フライトやホテルの予約、当日の挨拶、最後のまとめと課題の確認、最終日の会食、そして後日のメールでのフォローアップなど。

本パートでは、それらの細かい手配に関するメールや挨拶の原稿、議事録の書式などの標準型をご紹介します。

参考にして効率よく効果的なミーティングを手配してください。

【Part 3 の内容】

本パートでは、以下の 2 つのケースを想定しています。

ケース **A**：相手（EFG 社）のニューヨークオフィスを訪問してミーティングをする

ケース **B**：相手を自社（ABC 社）の東京オフィスに招聘してミーティングをする

1　メールで手配

まずはメールでミーティング開催の手配をします。

1.1　開催の提案

サンプル・メールを文脈の流れに沿ってパラグラフで分けました。最後にパラグラフをつなげた完成版を提示しましたので、全体のイメージをつかむために参照してください。（ケース A は 49 ページを、ケース B は 50 ページを参照）

～～～～～～～～～～～　**① 開催の提案**　～～～～～～～～～～～

〈ケース A ①〉相手のオフィスを訪問する提案のパラグラフ

「*discuss*」の後ろは目的語（**名詞や動名詞**）
discuss ~~*about*~~ ○○○ の **abou**t は誤り！

Draft A-①

Dear Mr. Smith:

I am writing to schedule a meeting to discuss ○○○ of the XYZ Project.

（XYZ プロジェクトの○○○について話し合うための会議を予定するために連絡します）

If it is good for you, a small team from ABC including myself, would like to visit your New York office.

（もし宜しければ、ABC 社から私を含めて少人数のチームで貴社のニューヨークオフィスを訪問させてください）

〈ケース B ①〉相手を自社のオフィスに招聘する提案のパラグラフ

Draft B-①

Dear Ms. Jones:

Thank you for your email and the update on the XYZ Project.
（XYZ プロジェクトの最新情報を含め、メールありがとうございます）

I feel that the issues you pointed out should be discussed face-to-face.
（貴殿が指摘した問題点は、直接お会いして話し合う必要があると思います）
I would like to invite you and your team to visit our Tokyo office to discuss ○○○.
（貴殿を含め貴社のチームを弊社の東京オフィスにお招きして、○○○について話し合いましょう）

〜〜〜〜〜〜〜〜〜〜〜〜〜〜〜〜〜〜〜〜〜〜〜〜〜〜〜〜〜〜〜〜

② 開催日の打診

〈ケース A ②〉相手側の都合の良い日を打診するパラグラフ

Draft A-②

At this stage, I feel that a two-day meeting will be sufficient to cover the issues.
（いまの段階では、この問題を取り上げるのに二日間の会議で充分だと思います）
I am thinking of some time in June. Please let me know what dates will be good.
（私は 6 月中の開催を考えています。 いつ頃が都合が良いかご連絡ください）

〈ケース B ②〉自社側の開催希望日を提示するパラグラフ

Draft B-②

Would it be possible for you to join us for a two-day meeting on either of the following dates?
（以下の日程案のどちらかで、二日間の会議に出席することは可能でしょうか）

(a) June 5–6 （6 月 5 日〜6 日）
or （または）
(b) June 19–20 （6 月 19 日〜20 日）

If these days are not good for you, please suggest some alternatives in June.
（もしこれらの日程で都合が悪ければ、6 月中での代替の日程をいくつか提案してください）

〜〜〜〜〜〜〜〜〜〜〜〜〜〜〜〜〜〜〜〜〜〜〜〜〜〜〜〜〜〜〜〜

～～～～～～～～～～～ ③ 議題の提案 ～～～～～～～～～～～

〈ケース A ③〉自社側から議題案を提示するパラグラフ

Draft A-③

Below are some items on the agenda that ABC would like to propose.
（以下は、ABC 社が希望するいくつかの議事項目です）

Could you email me your thoughts and let me know what you would like to add?
（貴殿のお考えやご希望の追加議事項目をメールにてお知らせ願います）

Proposed agenda:　（議題案）
1. Aaaaaaaaa
2. Bbbbbbbbb
3. Ccccccccc

〈ケース B ③〉相手側が希望する議題案を確認するパラグラフ

Draft B-③

Based on your recent emails and reports, I have set a tentative agenda for your review.
（貴殿の最近のメールや報告書に基づいて、暫定的に議題を設定しましたのでご検討願います）

Please share it with your team and send me your feedback.
（貴社のチーム内でも情報を共有してご検討いただき、貴殿のご提案を送付願います）

Tentative agenda:　（暫定議題）
1. Aaaaaaaaaaa
2. Bbbbbbbbbbbbb
3. Ccccccccccccccc

～～～～～～～～～～～～～～～～～～～～～～～～～～～～～～

〜〜〜〜〜〜〜〜〜〜〜 ④ 結び 〜〜〜〜〜〜〜〜〜〜〜

〈ケース A ④〉

Draft A-④

Please contact me if you have any questions.
（何かご質問があれば、私へお問い合わせください）

Sincerely yours,

Ken Yamada
Manager, Technology Business Section
ABC Corporation

〈ケース B ④〉

Draft B-④

I look forward to hearing from you regarding the schedule and agenda.
（開催日程と議題に関して、貴殿からのご連絡をお待ちしております）

Sincerely yours,

Ken Yamada
Manager, Technology Business Section
ABC Corporation

〜〜〜〜〜〜〜〜〜〜〜〜〜〜〜〜〜〜〜〜〜〜〜〜〜〜〜〜〜〜〜

〈サンプル・メール　完成版：ケース A〉

相手のオフィスを訪問してミーティングをする提案メール

A-①

件名：**Project Meeting at your New York office**
（貴社ニューヨークオフィスでのプロジェクト会議）

Dear Mr. Smith:

I am writing to schedule a meeting to discuss ○○○ of the XYZ Project.
If it is good for you, a small team from ABC including myself, would like to visit your New York office.
（XYZ プロジェクトの○○○について話し合うための会議を予定するために連絡します。
もし宜しければ、ABC 社から私を含めて少人数のチームで貴社のニューヨークオフィスを訪問させてください）

A-②

At this stage, I feel that a two-day meeting will be sufficient to cover the issues.
I am thinking of some time in June. Please let me know what dates will be good.
（いまの段階では、この問題を取り上げるのに二日間の会議で充分だと思います。
私は 6 月中の開催を考えています。いつ頃が都合が良いかご連絡ください）

A-③

Below are some items on the agenda that ABC would like to propose.
Could you email me your thoughts and let me know what you would like to add?
（以下は、ABC 社が希望するいくつかの議事項目です。
貴殿のお考えやご希望の追加議事項目をメールにてお知らせ願います）

Proposed agenda:（議題案）
1.
2.
3.

A-④

Please contact me if you have any questions.
（何かご質問があれば、私へお問い合わせください）

Sincerely yours,

Ken Yamada
Manager, Technology Business Section
ABC Corporation

〈サンプル・メール　完成版：ケース B〉

相手を自社のオフィスに招聘してミーティングをする提案メール

B-①

件名：**XYZ Project: Meeting at ABC's Tokyo office**

（XYZ プロジェクト：ABC 社の東京オフィスでの会議）

Dear Ms. Jones:

Thank you for your email and the update on the XYZ Project.
（XYZ プロジェクトの最新情報を含め、メールありがとうございます）

I feel that the issues you pointed out should be discussed face-to-face. I would like to invite you and your team to visit our Tokyo office to discuss ○○○.
（貴殿が指摘した問題点は、直接お会いして話し合う必要があると思います。貴殿を含め貴社のチームを弊社の東京オフィスにお招きして、○○○について話し合いましょう）

B-②

Would it be possible for you to join us for a two-day meeting on either of the following dates?
（以下の日程案のどちらかで、二日間の会議に出席することは可能でしょうか）

(a) June 5–6　（6 月 5 日～6 日）
or　（または）
(b) June 19–20　（6 月 19 日～20 日）

If these days are not good for you, please suggest some alternatives in June.
（もしこれらの日程で都合が悪ければ、6 月中での代替の日程をいくつか提案してください）

B-③

Based on your recent emails and reports, I have set a tentative agenda for your review. Please share it with your team and send me your feedback.
（貴殿の最近のメールや報告書に基づいて、暫定的に議事を設定しましたので検討してください。貴社のチーム内でも情報共有してご検討いただき、貴殿のご提言を送ってください）

Tentative agenda:　（暫定議題）
1.
2.
3.

B-④

I look forward to hearing from you regarding the schedule and agenda.
（開催日程と議題に関して、貴殿からのご連絡をお待ちしております）

Sincerely yours,

Ken Yamada
Manager, Technology Business Section
ABC Corporation

1.2　内容の確認

開催までの中間時点で、ミーティングの内容を確認します。

ケース A：相手のオフィスを訪問してミーティングをする場合

件名：**Project Meeting at your New York office**
（貴社ニューヨークオフィスでのプロジェクト会議）

Dear Mr. Smith:

Thank you very much for your suggestions regarding the schedule and agenda for the forthcoming meeting.
（今度の会議の開催日程と議事についてご提案いただき、誠にありがとうございます）

Based on your suggestions, I would like to confirm the details of the meeting as follows:
（貴殿のご提案に基づき、会議の詳細について以下の如く確認させていただきます）

1. Meeting schedule（会議の日程）:
June 5 (Mon.)　9:30 a.m.–4:30 p.m.
June 6 (Tue.)　9:30 a.m.–11:00 a.m.

2. Meeting place（会議の開催場所）:
EFG Corporation's New York office（EFG 社のニューヨークオフィス）

3. Agenda (tentative)（議題（暫定））:
(1) Delay in the construction schedule（建設工事のスケジュール遅れ）
(2) Review of plant 3D model（プラントの 3D モデルの検討）
(3) Inland transportation of heavy equipment（重機の内陸輸送）

4. Team from ABC（ABC 社からの参加チーム）:
Mr. A,　Technology Business Section（技術営業課）
Ms. B,　Process Design Department（工程設計部）
Mr. C,　Research and Development Department（研究開発部）

If there are any further changes you would like to make, please let me know before finalizing the agenda.
（貴殿が更に変更をご希望する場合は、議題を最終決定する前に私へお知らせください）

Thank you for all your support.（ご親切なご協力に、感謝します）

Sincerely yours,

Ken Yamada
Manager, Technology Business Section
ABC Corporation

ケース B：相手を自社のオフィスに招聘してミーティングをする場合

件名：**XYZ Project: Meeting at ABC's Tokyo office**
（XYZ プロジェクト：ABC 社の東京オフィスでの会議）

Dear Ms. Jones:

Thank you for your May 5 email regarding the meeting schedule and agenda.
（会議の開催日程と議題に関する貴殿の 5 月 5 日付メール、ありがとうございます）

（1） Schedule:（開催日程）
I appreciate you agreeing to visit our Tokyo office on June 5–6.
（6 月 5 日～6 日にて弊社の東京オフィス訪問をご了解いただき、誠にありがとうございます）

（2） Agenda:（議題）
*I will share your suggestions with our team and incorporate the feedback into the revised agenda.
（貴殿からのご提案を弊社のチーム内で共有して、その結果を修正版の議題に取り入れます）

*または I have shared your suggestions with our team and incorporated them into the revised agenda which I attach for your confirmation.（ご提案を弊社のチーム内で情報を共有するとともに、そのご提案を修正した議題へ取り入れましたので、貴殿の確認のために添付します）

I would like to finalize the agenda for May 25, so please let me know if there is anything you would like to change no later than May 24.
（5 月 25 日を目途に議題を最終決定したいので、もし何らかを変更するご希望があれば遅くとも 5 月 24 日には私へご連絡ください）

Sincerely yours,

Ken Yamada
Manager, Technology Business Section
ABC Corporation

1.3　議題と名刺の送付

直前に議題の最終版と出席者の名刺を送付します。

ケース A：相手のオフィスを訪問してミーティングをする場合

件名：**Confirmation of the final arrangements for the New York meeting**

（ニューヨーク会議の最終手配に係る確認）

Dear Mr. Smith:

I am writing to confirm the final arrangements for our visit to your New York office next week.

（来週の貴社ニューヨークオフィス訪問に係る最終手配を確認するために連絡します）

I attach the following for your reference:

（貴社の参考用に、以下を添付します）

（1）　The final agenda（議題最終版）

（2）　A copy of our team's business cards（弊社のチーム員の名刺のコピー）

（3）　Our itinerary（弊社の旅程）

I sincerely appreciate you offering to take us out for dinner on our final night; we would be delighted to attend.

（最終日に夕食へのご招待をいただき、誠にありがたく存じます。喜んで出席いたします）

We all look forward to taking the next step in the XYZ Project.

（XYZ プロジェクトにおいて次への一歩を踏み出すことを、弊社一同で願っております）

Sincerely yours,

Ken Yamada
Manager, Technology Business Section
ABC Corporation

ケース B：相手を自社のオフィスへ招聘してミーティングをする場合

件名：**Confirmation of the final arrangements for the Tokyo meeting**

（東京会議の最終手配に係る確認）

Dear Ms. Jones:

I am writing to confirm the final arrangements for your visit to our Tokyo office next week.

（来週の貴社による弊社東京オフィス訪問に係る最終手配を確認するために連絡します）

I attach the following for your reference:

（貴社の参考用に、以下を添付します）

（1） The final agenda（議題最終版）

（2） A copy of our team's business cards（弊社のチーム員の名刺のコピー）

The meeting on June 5 will begin at 9:30 a.m. If it is good for you, I would like to meet you at the first floor reception of our Tokyo office at 9:15 a.m.

（6月5日の会議は、午前9時30分に開始します。 もしよろしければ、東京オフィスの1階の受付で9時15分にお会いしたいと思います）

We look forward to seeing you next week.

（来週お会いできることを、お待ちしております）

Sincerely yours,

Ken Yamada
Manager, Technology Business Section
ABC Corporation

議題のお勧め書式〈ケース A〉

XYZ PROJECT: MANAGEMENT MEETING

（XYZ プロジェクト：マネッジメント会議）

Date （日）: June 5 and 6, 2020
Time （時間）: 9:30 a.m.–4:30 p.m.
Place （場所）: EFG Corporation, New York office
（EFG 社、ニューヨークオフィス）

〈AGENDA〉 （議題）

（1） Delay in the construction schedule
（建設工事のスケジュール遅れ）

（2） Review of plant 3D model
（プラントの 3D モデルの検討）

（3） Inland transportation of heavy equipment
（重機の内陸輸送）

（4） Troubleshooting and reporting
（問題解決と報告）

（5） Establishment of a steering committee for project management
（プロジェクト管理のための運営委員会の設立）

付属書 2

出席者名簿のお勧め書式〈ケース A・B 共通〉

出席者の名刺を貼って名簿の代わりにします。会議の席上における名刺交換の手間を省くために、事前に相互間で配布しておきます（メールにコピーを添付して送付）。

EFG Corporation – ABC Corporation
（EFG 株式会社　－　ABC 株式会社）

Project Meeting
（プロジェクト会議）

June 5 and 6, 2020
（2020 年　6 月 5 日および 6 日）

Attendees from ABC Corporation
（ABC 社の出席者）

出席者の英文名刺	出席者の英文名刺
出席者の英文名刺	出席者の英文名刺
出席者の英文名刺	出席者の英文名刺

出張旅程表のお勧め書式〈ケース A〉

到着フライト・宿泊先を相手側に伝えることによって、事故や災害などの発生時にスケジュール変更や緊急対応が容易になります。

XYZ PROJECT: MANAGEMENT MEETING （XYZ プロジェクト：マネッジメント会議）
ABC Corporation （ABC 株式会社）

〈ITINERARY〉 （旅程）

Japan to U.S.
（日本から米国）

Departure:（出発）	June 4:	from Narita（成田発）	
	JAL:	Flight No. 1234	**ETD** 11:45 a.m.
Arrival:（到着）	June 4:	at JFK（JFK 着）	**ETA** 5:10 p.m.
Hotel:（ホテル）	Marriot Broadway		
	Tel: 441-6623		

ETD: Estimated Time of Departure：出発予定時刻
ETA: Estimated Time of Arrival：到着予定時刻

U.S. to Japan
（米国から日本）

Departure:（出発）	June 7:	from JFK（JFK 発）	
	UNITED:	Flight No. 438	**ETD** 2:35 p.m.
Arrival:（到着）	June 8:	at Narita（成田着）	**ETA** 6:40 p.m.

In case of emergency, please call Mr. Ken Yamada:
（緊急時には、山田 健 に電話してください）

+81 (country code) **-80-1234-5678** (cell phone)
（国番号）（携帯電話）

日本の国番号

海外から日本に電話をかける場合は、03 や 080 などの局番の最初の〔0〕を省く

2　当日の挨拶と概要説明

当日のミーティングの進め方を確認しましょう。

2.1　開催の挨拶

はじめに、挨拶をします。

ケース A：相手のオフィスを訪問してミーティングをする場合

・On behalf of ABC Corporation, thank you all at EFG Corporation for welcoming us to your New York office.

（我々の貴社ニューヨークオフィス訪問を歓迎していただき、ABC 社を代表して EFG 社に感謝の意を表します）

⬇　続けて

・We sincerely appreciate you taking the time to meet with us today, and we look forward to a productive meeting.

（本日は我々との会合のために時間を割いていただき、心より感謝いたしますとともに、有意義な会議となることを願っております）

ケース B：相手を自社のオフィスへ招聘してミーティングをする場合

・On behalf of ABC Corporation, I welcome you all to our Tokyo office.

（ABC 社を代表し、弊社東京オフィスへのみなさまの訪問を歓迎いたします）

⬇　続けて

・We are very grateful to you for taking the time out of your busy schedule to visit us today, and we look forward to a productive meeting.

（本日は御多忙の中で弊社訪問のために時間を割いていただき、我々はとても感謝しておりますとともに、有意義な会議になることを願っております）

2.2　出席者の紹介

チームのリーダーがメンバーを紹介します。(**ケース A・B 共通**)

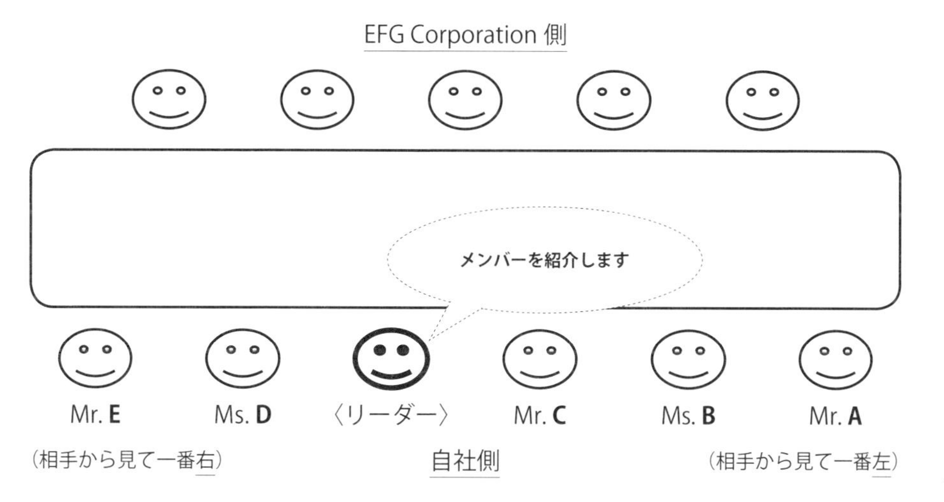

Before we start, I would like to introduce the members of our team.

((会議を) 始める前に、我々のチーム員をご紹介します)

I hope you all received a copy of our business cards. If you don't have one, I have some with me.

(みなさまは、すでに我々の名刺をお持ちだと思います。もしお持ちでなければ、私が少々持っております)

• My name is（氏名）and I am（役職名）from the（部署名）Department.
（私の名前は○○○で、私は△△部の□□（役職名）です）
• On your far left is Mr. A from the（部署名）Department.
（みなさまから見て一番左は○○部の A です）
• Next to Mr. A is Ms. B, who works in the（部署名）Department.
（A の隣は、○○部で担当する B です）
• This is Mr. C from the（部署名）Department.
（彼は○○部の C です）
• On my right is Ms. D from the（部署名）Department.
（私の右側は○○部の D です）
• And finally, Mr. E, who works in the（部署名）Department.
（そして最後は、○○部で担当する E です）

紹介する担当者を手で示しながら紹介（絶対に指先で示さない）

例えば Mr. F がドタキャンで当日欠席の場合
• Unfortunately, Mr. F cannot join us today and sends his apologies.
（残念ながら、本日 F は参加できず、『みなさまにお詫びを』と申しております）

2.3 流れの確認

メンバー紹介の後は、司会者が当日の全体の流れを説明し、相手側の同意または追加・修正の意見を確認します。**（ケース A・B 共通）**

If everyone is ready, I would like to go through the agenda.
（もしみなさまの準備が整っておりましたら、議題をザッと見てみましょう）

Do you all have a copy?
（みなさまはコピーをお持ちですか）

We are here today to discuss ○○○ of the XYZ Project.
（我々は本日、XYZ プロジェクトの○○○について議論します）

First of all, we'll talk about A.
（まず最初に、議事 A について打ち合わせます）

After that, we will look at B.

（その後、議事 B を検討します）

Then, we'll cover C.

（そして、議事 C を取り上げます）

After that, lunch will be from 12:30 p.m. to 1:30 p.m.

（その後は、12 時 30 分から 1 時 30 分までは昼食になります）

We have prepared some lunchboxes for you all, which will be served in our employee lounge on the 11th floor.

（みなさまの昼食は、11 階の「社員用食堂」にお弁当を用意しました）

After lunch, from 1:30 p.m. we will discuss D.

（昼食後は、1 時 30 分から D について議論します）

And next, we will have some time to look at E.

（その次は、少しの間、E を取り上げてみましょう）

We will take a 15-minute break at 3 p.m.

（3 時には、15 分の休憩をとります）

After the break, we will talk about F.

（休憩の後は、F について話し合います）

And finally, we will finish up today with G.

（そして最後に、本日を締めくくるのは G です）

I think that covers everything regarding the agenda.

（これで議題については全て取り上げたと思います）

Do you have any questions?

（なにかご質問はありますか）

• **質問がある場合**

Yes, Mr. Smith, please go ahead.

（はい、スミスさん、どうぞ）

• **質問が無い場合**

No questions? OK, let's start with A.

（質問はありませんか。それでは、A から始めましょう）

2.4　まとめと宿題の確認

ミーティングを終了させる前に次の二つを確認します。**（ケース A・B 共通）**

①打合せの内容を簡潔にまとめて口頭で説明し、相互確認する。

②次のステップ（または、翌日のミーティングの内容）を確認する。

Before we end today's meeting, I would like to go over the main points and confirm the next steps.

（本日の会議を終了する前に、主要なポイントをもう一度おさらいし、次のステップを確認します）

The following are the four main issues:

（主要な四つの点は次の通りです：）

• Number one, we agreed that ...

（第一番目は、…について双方合意した）

• Number two, we also decided that ...

（第二番目は、さらに我々が決定したのは…）

• Number three, everyone accepted that ...

（第三番目は、全員が了承したのは…）

- And number four, we will prepare ...
  (そして第四番目は、我々が次に準備することは…)

The next steps to be taken are as follows:
(次に進めるステップは以下の通りです:)

- Step number one, ABC is going to study the feasibility of ○○○ before (日付).
  (第 1 ステップは、ABC 社が○月○日より前に○○○の実現可能性について精査する)
- Step number two, Mr. A said that he would review the results of the study.
  (第 2 ステップは、A さんが発言したように、彼が精査の結果を再検討する)
- Step number three, EFG Corporation will investigate the feasibility of ○○○ before (日付).
  (第 3 ステップは、EFG 社が○月○日より前に○○○の実現可能性について精査する)
- And the last step, EFG Corporation will submit the report regarding ○○○ no later than (日付).
  (そして最終ステップは、EFG 社が○○○に関する報告書を遅くとも○月○日には提出する)

2.5 閉会の挨拶

ミーティングに参加してくれたことへの謝辞を述べます。

(1) 二日以上の打合せの、初日の場合
〈言い出しは、ケース A・B 共通〉

OK, I think that is all for today.
(それでは、本日はこれで以上です)

We have covered a lot of issues and made good progress.
(我々は多くの問題に取り組み、かなりはかどりました)

⇩　続けて

ケース A（相手のオフィスを訪問）の場合

Thank you very much. I think tomorrow will be a productive meeting.

（本日はどうもありがとうございました。明日は有意義な会議になると思います）

または

ケース B（相手を自社のオフィスに招聘）の場合

We will continue tomorrow morning from 9 a.m. I will meet you in the lobby at 8:30 a.m. if it is good for you.

（我々は、明朝 9 時から続けます。もしよろしければ、ロビーで 8 時 30 分にお会いしましょう）

Are there any final questions? OK. Thank you all very much.

（最後の質問は、ありませんか。それでは、ありがとうございました）

夕食に招待する場合の追加説明

Tonight, you are all invited to the Japanese restaurant "**Fuji**" in Ginza.

（今夕は、みなさまを銀座の日本料理店「富士」にご招待いたします）

I will pick you up at 6 p.m. in the lobby of your hotel.

（あなた方のホテルのロビーで 6 時にお迎えします）

(2) 一日の打合せ、または 二日以上の打合せの最終日の場合

〈言い出しは、ケース A・B 共通〉

OK, that brings us to the end of the meeting.

（それでは、これで会議は終了となります）

Thank you very much for all your hard work and active participation.

（みなさまのガンバリと積極的な参加に御礼を申し上げます）

I believe we have achieved our objectives and I look forward to continuing to work together on the XYZ Project.

（我々はみなさまと共に（ミーティングの）目的を達成したと確信しており、XYZ プロジェクトにおいて引き続きご一緒に業務遂行できますよう、宜しくお願い致します）

続けて

ケース A（相手のオフィスを訪問）の場合

We thank you very much for all your kind arrangements.

（我々は、貴社のご親切なご手配に深く感謝いたします）

This productive meeting was a result of your thoughtful proposals and positive responses in order to cope with the current difficult situation.

（有意義な会議となったのは、現在の難しい状況を解決するために、貴社からのご配慮あるご提案と前向きなご対応があったおかげです）

Thank you once again, and we look forward to seeing you soon.

（再度、貴社に御礼を申し上げるとともに、また近いうちにお会いしたいと思います）

または

ケース B（相手を自社のオフィスに招聘）の場合

I thank everyone from EFG Corporation for joining us over the last (two) days.

（(二) 日間の会議に出席していただき、EFG 社からお見えになったみなさま方に御礼申し上げます）

I hope you have enjoyed your stay and wish you a safe trip home.

（今回のご訪問に満足していただけたと思います。そして、無事のご帰国を祈っております）

夕食に招待する場合の追加説明

Tonight, you are all invited to the Japanese restaurant “**Fuji**” in Ginza.

（今夕は、みなさまを銀座の日本料理店「富士」にご招待いたします）

I will pick you up at 6 p.m. in the lobby of your hotel.

（あなた方のホテルのロビーで６時にお迎えします）

3　メールでフォローアップ

ミーティングが終わったあとに、メールでどのようにフォローアップすればいいかを確認しましょう。

3.1　出席者への礼状

ミーティングの後には、相手のオフィスを訪問した場合も、相手を自社のオフィスに招聘した場合も、必ず礼状を出すのが一流企業としての礼儀です。早く出すのがキーポイント。

ケース A：相手のオフィスを訪問してミーティングをした場合

件名：**Thank you for your hospitality**

（大変お世話になりました）

Dear Mr. Smith:

Thank you very much for your kind hospitality during our visit to New York.

（弊社のニューヨーク訪問に際して、貴社のご親切なおもてなしに深く感謝します）

It was a pleasure to meet with you and your team (, and we all enjoyed dinner on the last night).

（貴殿と貴社のチームにお会いできて大変良かったです（そして弊社の全員が最終日の夕食を楽しみました））

I believe the meeting was a success as we were able to achieve our objectives.

（会議の目標を達成できたことによって、弊社はこの会議が成功したと確信しております）

Our team will get to work on the active steps we agreed on, and we look forward to working with you on the XYZ Project.

（弊社のチームは、双方で合意した次のアクションステップに取り掛かります。この XYZ プロジェクトにおける貴社との協働をうれしく思っております）

I will write up the minutes of the meeting and will send them to you in the next few days for your review.

（私のほうで議事録を作成して、貴社の見直し用にこの議事録を数日中に送ります）

Thank you again for everything.

（大変お世話になりましたこと、重ねて、厚く御礼申し上げます）

Sincerely yours,

Ken Yamada
Manager, Technology Business Section
ABC Corporation

ケース B：相手を自社のオフィスに招聘してミーティングをした場合

件名：**Thank you for visiting ABC**

（ABC 社を訪問していただき、ありがとうございました）

Dear Ms. Jones:

I hope you and your team had a pleasant trip home.

（貴殿と貴社のチーム員のみなさまが、無事、帰国されたことと思います）

We sincerely appreciate you taking the time to visit us in Japan to discuss the XYZ Project.

（お忙しい中で、XYZ プロジェクトに関する会議のために日本の弊社を訪問していただき、誠にありがとうございました）

The meeting went well, and we were able to make a lot of progress.

（会議は順調に進み、多くの成果を得ることができました）

Everyone on our team is excited about taking the next steps and working closely with you toward the completion of the project.

（次のステップに進み、プロジェクトの完成に向かって貴社と緊密に協働することに弊社のチームの全員が張り切っております）

I will send you the minutes of the meeting for your review before the end of this week.

（貴社に議事録を見直していただくために、この週末の前には送ります）

Please pass on our thanks to your whole team.

（どうぞ弊社の感謝の意を貴社のチームの全員にお伝えください）

Sincerely yours,

Ken Yamada

Manager, Technology Business Section

ABC Corporation

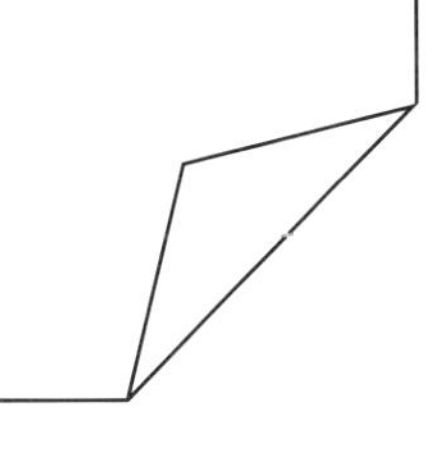

3.2 ドラフト議事録の送付とフィードバックの確認

ミーティングが終わったら議事録を速やかに作成することが海外ビジネスにおけるルールです。相手側に作成してもらうよりも、自社側で起案・作成したほうが自社側の主張を中心とした構成と展開になりますので、有利です。

英文の議事録作成に求められるのは、英作文の巧さや文法の正確さではありません。重要なことは、シンプルな文章で、箇条書きを多用することにより、誤解を招かずわかりやすい議事録を作成することです。

〈ケース A・B 共通〉

件名: **XYZ Project MOM for review and feedback**
（XYZ プロジェクト議事録の見直しとご提案）

Dear Mr. Smith:

I am attaching the minutes of the XYZ Project meeting on June 5 (and 6).
（6 月 5 日（および 6 日）に開催された XYZ プロジェクト会議の議事録を添付します）

Please review them with your team and let me know if you have any questions or feedback.
（貴社のチームと共にこの議事録を見直していただき、ご質問やご提案があれば私に連絡してください）

Sincerely yours,

Ken Yamada
Manager, Technology Business Section
ABC Corporation

3.3 次のステップの確認

ビジネスをスムーズに、そしてタイムリーに進めるためには、常に次のステップをメールなどの書面によってお互いに確認しあうことが必要です。電話などによる口頭での確認は、記録が残らないので危険です。

〈ケース A・B 共通〉

件名：**XYZ Project MOM (final) and next step**
（XYZ プロジェクト議事録（最終版）と次のステップ）

Dear Ms. Jones:

Thank you very much for your feedback on the meeting minutes; I am attaching the final version which includes revisions based on your suggestions.
（議事録の内容に関するご提案、どうもありがとうございます。貴殿のご提案に基づいて修正した部分を含めた最終版を添付します）

As agreed in the project meeting, the next step is for ABC to study the ○○○ before (日付).
（プロジェクト会議で合意されました通り、次のステップは ABC 社が○月○日より前に○○○を調査することになっています）

The following is the action plan: （アクションプランは以下の通りです）

1.
2.
3.

I will send you updates and let you know of any development at our end. If you have any questions in the meantime, please contact me.
（最新状況および弊社側の何らかの進展について、後日、連絡いたします。その間に、何かご質問があれば私に連絡してください）

Sincerely yours,

Ken Yamada
Manager, Technology Business Section
ABC Corporation

Part 4
ビジネス英語の基本

　ここでは、ビジネス英語の基礎力を底上げするための情報を紹介しています。とくに日本人ビジネスパーソンに多い間違いを示して、正しい英語を強化することを目指しています。全て重要な情報ばかりですから、1つも漏らさないつもりでしっかり読んで、ビジネス英語に対応できる力を蓄えてください。

【Part 4 の内容】

1　動詞力は英語力

英語では、動詞をいかに上手く活用するかが一番大切です。日本語はその点では、動詞よりむしろ名詞のほうが大事なのではないでしょうか。

日本語では漢字を組み合わせることによって、いろいろなことを表せます。例えば、「和魂洋才」「闘魂」「惜敗」「辞任」など、みんな名詞句です。

英語は新聞や雑誌の見出しをご覧になればおわかりのように、動詞を用いていろいろな事柄を表現します。例えば「勝利」「敗北」は名詞ではなく「○○ wins」「○○ loses」と表せます。「辞任」も○○ steps down と表せます。動詞で適切に表現できれば、名詞にこだわる必要などないのです。

動詞力は英語力。英語で言えば、The verb gives life to any sentence.（動詞は文章に息吹を与える）です。ぜひ肝に銘じてください。

「動詞力は英語力」であることに関連してもう1つ大切なことがあります。日本人は be 動詞を用いるのが好きです。しかし、なるべく be 動詞よりは動詞を活用するようにしましょう。be 動詞は単に主語と補語をつなぐだけで、文の生き生きした感じがなくなります。くどいようですが、The verb gives life to any sentence. です。

例えば、皆さんは『彼は大学生だ』という日本語をどのように英語で表現しますか。おそらく 10 人中 9 人が、He is a college student. と言うでしょう。

もちろんこれでも英語としては正解です。しかし、be 動詞を用いなくてもこの内容は表現できます。動詞の〔go〕を用いて、He goes to college. と言えばよいのです。現在形は普遍的なことを表すので、goes to college によって『彼が現在大学生である』ということを表せます。be 動詞を用いるよりこのほうが大学に通っている様子が出ます。実際、英語が母語の人なら be 動詞ではなく〔go〕を用いて表現するはずです。

1.1　have＝to be with

have の基本概念は to be with です。つまり、文の主語と目的語が〔同居している〕という意味です。

have は、I have a book in my hand. などの場合に、たまたま「持っている」という意味になるだけで、むしろ「持つ」と訳さない場合のほうが多いのです。主語とあるものが「同居している」場合は、have を使って表せます。

I had the flu last week.　（先週は、ひどい風邪をひいていた）

We will have company tonight.　（今夜はお客が来るよ）

日常で「客」という言葉を使う場合、家族以外の人を指します。そのような場合、英語では company を使って have company と言います。

My father had a hard time when he was young.　（父は若いころ苦労した）

a hard time は、このような「苦労」からビジネスなどの「厳しい状況」まで幅広く使うことができます。そして、「苦労した」は「〔困難〕と〔共にあった〕」ということなので have で表せます。

Mariko has a nice smile.　（まり子は、笑顔がステキだ）

この日本語を英語で言おうとした場合、まず Mariko's smile is nice. という文が頭に浮かぶのではないでしょうか。それでも間違いではありません。しかし、主語はできるだけ「人」にして、動詞を生かすことが基本です（つまり、なるべく be 動詞を使わない）。すると、主語は Mariko です。では、動詞は何をどう使ったらよいでしょうか。こういったときは、ある特徴や性格を have すると表現します。この場合なら、Mariko と笑顔がステキ＝ステキな笑顔（a nice smile）が同居しているわけです。

1.2　get＝come to have

get の基本概念は come to have です。つまり、根底の意味は have（＝to be with）とほぼ同じです。しかし、have は状態に重点があります。一方、get は have に至る process（過程）と action（行動）に重点があり、自分の意志に関係なく「結果的に have の状態になる」を意味します。

Would you get me the front desk?　（フロントをお願いします）

ホテルなどで、電話のオペレーターに「○○をお願いします」と言うときに、フロントにつないでくださいという意味で、Would you connect（me）to the front desk? や、Would you put me through to the front desk? と覚えた人が多いようです。でも実際には **get を使うことが圧倒的に多い**のです。みなさんも get を含む例文をまず覚えてください。この get は「～を持って行く」ということで、「私の電話をフロントに持って行ってください」→「この電話をフロントにつないでください」という意味になります。

1.3　go＝move along, move away from

go は move along、あるいは move away from と覚えてください。go は、話者の意識の中で**話者の頭の中にある起点から遠ざかっていく動きや進行している様子**を示します。到達点を示す言葉がなければ、その動きには制限がないことになります。

Everything must go.　（全品売り尽くし）

日本語の「全品売り尽くし」には、「今ここにあるものを全部売ってしまおう！」という売り手側の決意が入っています。「全品売り尽くし」の中で最も重要な要素は「全品」ですから、everything を主語にします。英語の文構造では主語が重要ですから、主語を何にするかを最初に決めて、それに合わせて動詞以下を考えるようにしましょう。

次に、助動詞と動詞を決めます。英語の助動詞は話者の気持ちを表します。「売ってしまおう」という決意にふさわしい must（〜しなければならない）を使いましょう。

動詞 go は、到達点がなければどこまでも遠ざかっていく動きをします。主語が物ならば「なくなる」という意味になります。「売ってしまおう！」＝「なくなってしまえ！」を表すのにピッタリなのが go なのです。

1.4　come＝move toward

come は move toward と覚えてください。come は go とは反対に、起点よりも到達点に重点があります。すなわち、**話者の頭の中にある到達点に近づく動き**を示します。このことから、come で**結果**を表すこともできます。

Money comes and goes.　（金は天下の回りもの）

この日本語は come と go で表すことができます。**come** は**話者の頭の中にある到達点に近づく動き**を示し、**go** は**話者の頭の中にある起点から遠ざかっていく動き**を表します。「お金」が主語になると、「入ってきて出ていく」という意味になり、「金は天下の回りもの」が表現できます。

2　類義語の違いを知る

「同じ意味の単語」といった言い方をすることがあります。しかし、異なる単語が存在する以上、必ず意味やニュアンスには違いがあります。ここでは、ビジネス英語で重要な類義語に絞って、その違いを確認します。後半では、同じ単語でも可算名詞と不可算名詞で意味が異なるものを集めました。盲点になる意味が多いので、ぜひフレーズごと覚えてください。

2.1　company と office と workplace

「仕事に行く」を英語で何と言うでしょうか。そう聞くと、皆さんの多くが、I go to the company. と答えます。しかし、これは誤りです。正しくは、I go to work. です。

company は**「人が一緒にいること」**や**「人の集まり」**を指します。物理的に存在しないところへ行くことはできません。概念的に、「仕事に行く」は、**go to work** を用いてください。

company は「人の集まり」から「会社」という意味も表すようになりました。今でも、社名にその名詞のある会社が米国にはたくさんあります。例えば、Brown & Company は、「ブラウンさんとその仲間」が始めたということです。

「入社」は、「人の集まりに加わる」ことから join the company と言います。enter the company でないので注意してください。

では、I go to the office. と表現するのはどうでしょうか。これも少しヘンな感じです。company と異なり、確かに office は物理的に存在するので、office に行くことは可能です。しかし、office はもともと「専門職の人が専門の仕事をする場所」のことで、the doctor's office、あるいは the lawyer's office といった表現でよく使われます。だから、日本語の「仕事に行く」という一般的な言い方には合いません。

なお、**home**（家庭）に対して「職場、仕事場」と言いたい場合は、the **workplace** を用いてください。

2.2　pick と choose と select

- **pick** は「好みで選ぶ」こと。
- **choose** は「理性で選ぶ」こと。
- **select** は「好みと理性で選ぶ」こと。

英語で「何かを選ぶ」と表現する場合、皆さんは pick と choose をどのように使い分けているでしょうか。多くの方が「そのときのフィーリングで適当に」などと答えると思います。しかし、英語が母語の人にとっては、この両語には明確に語感の違いがあります。

pick も choose もどちらも「選ぶ」です。しかし、pick は好みで選び、choose は理性で選ぶことだと頭にたたきこんでください。

pick は深く考えたりせずに、気分で選ぶこと。動作として反射的にひょいっと手に取るような感じです。例えば、トランプ手品などで「この中から 1 枚引いてください」という場合、思考力をフル活用して、選ぶべきカードを吟味に吟味を重ねて引くなんて人はいません。適当に選んで、反射的に手に取るはずです。

このような場合、choose は用いません。「カード 1 枚引いてください」は、Just pick a card. と言います。pick を名詞で用いる場合も同様です。pick は「正しい」とか「間違い」など対象ではないので、wrong pick という組み合わせはありえないのです。my first pick（第 1 希望）とか my second pick（第 2 希望）のように用います。

choose は、好き嫌いは別にして、頭で考えてから「これだ！」と選択する場合に用います。文章を考えて「適切な言葉を選ぶ」というような場合は、当然、choose the right word となります。ある条件で、目的に合った、適切なものを、思考の末に選ぶわけです。ですから choose を名詞で用いた場合、the right choice、the wrong choice と言えるわけです。

好みと理性の両方で選ぶ場合は、英語では pick と choose を両方用いて pick and choose と言います。これを 1 語で表したのが select です。つまり、select は「あらゆる観点を考慮して選ぶ」ということです。

2.3　between と among

- **between** は「相互関係」。
- **among** は「グループ全体として」。

学校英語では、between は 2 つの物の間、among は 3 つ以上の物の間と教えることが多いようです。誤りではありません。しかし、もう少しきちんと between と among の概念の違いを深く押さえましょう。そうでないと、次のような文を見て「あれ、どうして ?」と疑問を抱いたままになってしまいます。

The mother divided the cake between her five children.

（お母さんは 5 人の子供にケーキを分けた）

これを「between は 2 つの物の間、among は 3 つ以上の物の間」というルールに単純にあてはめると間違いになってしまいます。しかし、英語として誤りではありません。「between は 2 つ、among は 3 つ以上」と数で覚えるのではなく、内容面の違いから理解しましょう。

between は主語と目的語や between の中味が 1 対 1 の関係にあることを示します。いわば、相互関係です。つまり、前述の文では、お母さんは 5 人の子供ひとりひとりに均等にケーキを分け与えたのです。その意味では、子供ひとりひとりがそれぞれ母と 1 対 1 の関係です。

例えば、交渉事で 2 人以上の間で争いがあっても、反対・賛成など二極対立であれば among ではなく between を用います。among は、後ろにくるものが 3 つ以上でも、日本語で言う「十把一からげ」のように、「全体を 1 つのグループ」（as a group）としてみなします。考えようによっては、among は in に近いとも言えます。

2.4　不可算と可算

(1)　interest

〈不可算〉　興味、利子

不可算名詞の interest は「興味」「利子」の意味です。

- The topic raised a lot of interest.
（その話題は多くの人々の関心を集めた）

- I lost interest in the program.
（その番組への興味が失せた）

- The story had no interest for me.
（その話は私にはおもしろくなかった）

- They charge interest at 5.6 percent.
（利息は 5.6% かかる）

- You have to pay 6 percent interest on the loan.
（ローンの利息は 6% です）

〈可算〉　興味の対象

可算名詞の interest は「興味の対象そのもの」を表します。

- She has wide interests.
（彼女は趣味が多い）

履歴書の「趣味」の欄には interest を用います。スポーツでも何でも含めることができます。

• My interests: reading, listening to music, audio, golf.

（趣味：読書、音楽鑑賞、オーディオ、ゴルフ）

〈複数形〉 利益

interest を可算名詞の複数形（まれに単数形）で用いると、「利益」「利権」「権益」の意味になります。

• That action touches national interests.

（あの行為は国益にかかわる）

• That policy will affect the vested interests.

（あの政策は既得権益を侵すものだ）

• The company decided what was in the best interests of share-holders.

（会社は、何が株主の最大の利益になるか判断した）

（2） language

〈不可算〉 言語

不可算名詞の language は system of communication（意思疎通のための記号体系）、意思疎通の道具としての「言語」「文体」、特定の集団や職業で用いる「術語」「専門用語」を表します。

• I want to learn sign language.

（手話を習いたい）

• You can tell from her body language that she is very upset.

（ボディランゲージから、彼女がひどく怒っていることがわかる）

• The program helps the development of language in young children.

（このプログラムは、幼児の言葉の発達に役に立つ）

• Don't use bad language here.
（ここでは言葉遣いに注意してください）

• I am not familiar with legal language.
（法律用語はよくわからない）

〈可算〉　国語

可算名詞の language は各国の「国語」の意味です。

• My first language is English.
（私の母語は英語です）

• She has a good command of the Japanese language.
（彼女は日本語が堪能だ）

• The boy has a flair for languages.
（その少年は語学の才能がある）

• How many languages do you speak?
（何か国語話せますか）

（3）　leave

〈不可算〉　休暇

leave は不可算名詞で、「雇い主が従業員に休んでよいという許可」のこと、つまり「休暇」のことです。会社が与えるのは vacation ではなく leave です。

• I came to Tokyo on one month's leave.
（1 か月の休暇で東京にきました）

• John is on leave now.
（ジョンは休暇中です）

（4） manner

〈不可算〉

manner は通常、不可算名詞として用いることはありません。

〈可算〉 方法

manner を可算名詞の単数形で用いると「方法」「やり方」の意味になります。

way と言い換えられます。

- I tried to behave in an appropriate manner.
  （適切にふるまおうとした）
- You don't have to talk to me in a businesslike manner.
  （私には事務的な話し方をしなくていいよ）
- The bank will tackle the problem in an aggressive manner.
  （銀行は、積極的にその問題に取り組むだろう）

〈複数形〉 マナー

複数形の manners は「マナー」「行儀作法」の意味です。

- It's bad manners to slurp.
  （音を立てて食べる［飲む］のは行儀が悪い）
- The guy has no manners.
  （あいつはマナーがなってない）
- You are old enough to have table manners.
  （あなたの年齢ならもうテーブルマナーができていいはずですよ）

(5) research

〈不可算〉 研究、調査

a research という語例をよく見かけます。しかし、research は不可算名詞です。

- I am doing research on the tribe.
  (私はその部族について研究している)

(6) sanction

〈不可算〉 認可

sanction を不可算名詞として用いると、permission (許可)、approval (承認) の意味になります。

- No decision can be taken without the sanction of the board.
  (役員会の許可がなければ何も決定することはできない)

〈可算〉 罰

sanction を可算名詞として用いると、punishment (罰) の意味になります。

- We have to impose all available sanctions for hacking (または sanctions on＋国名).
  (ハッキングに対して (○○国に対して) あらゆる罰を科さなければならない)

〈複数形〉 制裁

複数形の sanctions は国などに対する「制裁」の意味です。

- We have to tighten economic sanctions against the country.
  (その国に対する経済制裁をもっと厳しくしなければならない)

(7)　security

〈不可算〉　安全保障

security を不可算名詞として用いると、freedom or protection from danger（危険がないこと、または危険からの保護 → 安全保障）、measures taken to guarantee the safety of a country or a person（防衛・防犯対策）の意味になります。

- It is a matter of national security.
（これは国の安全保障の問題だ）

- The police tightened security around the building.
（警察はそのビルの周囲の警備を強化した）

- For security reasons, passengers are requested not to leave any luggage unattended.
（保安上の理由により、荷物から離れないようにお願いいたします）

〈可算〉（不可算）　担保、保証人

security は不可算名詞または可算名詞単数形で「担保」「保証人」の意味で用いられることもあります。

- My father agreed to stand security for my bank loan.
（父は私の銀行ローンの保証人になることを承知してくれた）

- The lady pledged her expensive jewelry as security for the loan.
（その女性は高価な宝石類をローンの担保にした）

〈複数形〉　株券、証券

security を複数形で用いると、「株券」「証券」の意味になります。ですから、証券会社は securities company です。security company は警備会社の意味になります。

• I am working for a securities company.
（私は証券会社に勤めている）

• He has a lot of government securities.
（彼は多くの国債を持っている）

(8) time

〈不可算〉 時、時間

不可算名詞の time は「時」「時間」の意味です。

• Time heals all wounds.
（時がすべての傷を癒してくれる）

• We have no time to lose.
（一刻の猶予もならない）

• That will take time.
（それは時間がかかる）

• Do you have the time?
（今、何時ですか）

この場合、time には必ず〔the〕が付きます。

• My watch keeps good time.
（私の時計は合っています）

• How time flies!
（時間がたつのはなんて早いのだろう）

• Do you have time to do that?
（それをする時間はありますか）

• I will have to kill time.
（時間をつぶさなければならない）

• What do you do in your spare time?
（時間があるときは何をしていますか）
in one's spare time で「暇なときに」という意味です。

• It's lunch-time now.
（お昼の時間です）

〈可算〉 機会、経験、時間の長さ（期間）

time を可算名詞の単数形で用いると「機会」「経験」「時間の長さ（期間）」を表します。

• When was the last time you saw him?
（最後に彼と会ったのはいつですか）

• Every time I see him, we go to the pub.
（彼と会うと、きまってパブに行く）

• It is not an appropriate time to discuss the topic.
（それは今、話すことじゃない）

• Did you have a good time in L.A.?
（ロスは楽しかった？）

• I had a terrible time at the party.
（パーティで、ひどい目に遭った）

• We haven't seen him for a long time.
（私たちは長いこと彼に会っていない）

〈複数形〉 時代

複数形の times は「時代」の意味です。

• Times have changed.
（時代は変わった）

• The company is getting ahead of the times.

（その会社は時代を先取りしている）

(9)　work

〈不可算〉　労働、職、やること

work を不可算名詞として用いると、the use of physical strength or mental power（肉体的または精神的な力を使うこと）、つまり「労働」「働くこと」「職」「何かをやること」を意味します。

• I have a lot of work to do today.

（今日はやることがたくさんある）

• She has been out of work for two years.

（彼女は 2 年間、失業している）

out of work の反対は in work となります。

• Is this all your own work?

（全部あなたがやったの？）

• It's hard work.

（これは骨の折れる仕事だ）

• I go to work at nine.

（私は 9 時出勤です）

• Let's get down to work now.

（さあ、仕事に取り掛かろう）

〈可算〉

work は可算名詞単数形で用いることはまずありません。

〈複数形〉　作品、工場、土木工事

work を複数形で用いると「作品」「製作所」「土木工事」の意味になります。

- The place is exhibiting works by local artists.
（そこで、地元のアーティストの作品を展示している）

- I read the complete works of Shakespeare when I was young.
（私は若い頃、シェークスピア全集を読んだ）

- The government is trying to slash the budget for public works.
（政府は、公共事業の予算を大幅に削減しようとしている）

- The company is operating an engineering works.
（その会社は製作所を運営している）

3　誤解の多い使い方

ここでは、「なんとなくならわかっている」けれど、明確に理解されていないことが多い用法を中心に取り上げます。「どっちでもいい」と思いがちな身近で簡単な単語ほど、使い方に誤りが多いものです。ぜひ今この機会に覚えてしまいましょう。

3.1　look forward to と looking forward to

- **look forward to:**「アクションをお願いする場合」に適しています。
- **looking forward to:**「個人的に楽しみに待つ場合」と考えてください。

✔**大前提として、**〔look / looking forward to〕の「to」の後ろには名詞や動名詞が来ます。動詞の原形は**ダメです！**

（「to」は前置詞で、不定詞ではありません）

よくある間違い：look forward to meet you、looking forward to see you

✔**そして重要なのは、**それぞれの使い分けです。

① look forward to

ビジネス的な意味での、返事・回答やミーティングへの出席、資料の提出などをお願いする場合に適しています。

⇒　I look forward to your **reply**. 〈to＋名詞〉

（貴殿からの返信を、お待ちしております）

I look forward to **receiving** the revised proposal. 〈to＋動名詞〉

（修正提案書を受領できるよう、お待ちしております）

② looking forward to

ビジネス的にあまりフォーマルでなく、「個人的に○○を期待する・○○を楽しみにする」という場合に適しています。

⇒ I am look**ing** forward to your **visit** on July 4. 〈to＋名詞〉

（君の／あなたの７月４日の来訪を楽しみにしております）

I am look**ing** forward to **seeing** you soon. 〈to＋動名詞〉

（君に／あなたに 早く会えることを楽しみにしております）

3.2 discuss / explain＋about

メール・議事録・会議・電話などで、圧倒的に多い間違いがあります。その間違いとは、皆さんが頻繁に使う『～について打ち合わせる』や『～について説明する』という表現の discuss ***about*** や explain ***about*** の、***about*** です。

discuss や explain は他動詞なので、その後ろには必ず「何を」という目的語が入ります。about（～について）ではありません。

例①： We would like to **discuss** the proposed delivery schedule in the next meeting.

（次の会議で、弊社は納期の案を議論したいと思います）

例②： We would like to **explain** the basis of our Technical Proposal.

（弊社の技術提案書の基準を説明したいと思います）

間違える原因は、talk や speak が about と正しく接続するからだと考えられます。

例③： In the meeting, we **talked about** the revisions to the design.

（弊社は会議で設計の改訂について話しました）

ただし、名詞の discussion / explanation を用いて
「～についての 打合せ / 説明」を表現する場合は、
about、**on**、**of** が使えます。

3.3　同じ意味の繰り返し

「馬から落ちて落馬する」のような同じ意味の単語の繰り返しは、日本人の英作文によく見られます。代表的な例として、final result、past history、personal privacy などがあります。

以下の例においては、太字の単語だけにしてください。

- **assemble** together　（一緒に**組み合わせる**）
- basic **fundamentals**　（基本的な**基礎**）
- **collaborate** together　（一緒に**協力する**）
- **component** parts　（**部品**の部品）
- experience background　（経験の経歴）

　これは experience か background のどちらかにしてください。

• final **result** （最後の**結果**）
• past **history** （過去の**歴史**）
これらの間違いが特に多い！

• qualified **expert** （有資格の**専門家**）

• totally **complete** （全体的に**完成**）

4 「検討する」

日本語の「**検討する**」は、様々な場面で・様々な意味に使える非常に便利な言葉です。例えば、「調べる、見直す、考えてみる、評価する」などの意味を持たせることができます。さらには、「後で断るための時間稼ぎ」や「後回しにするための言い訳」などにも使われています。

しかし、英語では、そうはいきません。その場面に対して正確に・的確に表現しなければ、相手に意味が通じません。特に海外ビジネスでは、相手に不審がられる危険性もあります。

そこで、「検討する」を英語で上手く使いこなす用語例をご紹介しますので、ぜひ様々な場面に最も適切な表現を選んで使ってみてください。

この使いこなしが、上級ビジネス英語の要件です。

consider 起用するか？ 採用するか？ 発注するか？ 確定するか？ などを決定するために **熟考する、考慮する**	• We need to **consider** all the possible options before finalizing the plan. (計画を最終化する前に、可能性のある選択肢を全て熟考する必要がある)
review (re + view) 受け入れること・承認することを前提に、変更が必要か？ 修正が必要か？ を **精査して見直す、再調査する**	• We will **review** your proposal and reply to you next week. (貴社のご提案を見直して来週にお答えします)
evaluate 量・価値・品質 などを 慎重に熟考して **評価する**	• Our project team will **evaluate** the performance of the different process technologies. (弊社のプロジェクトチームが、様々なプロセス技術の能力を評価します)

study **細かい点まで詳しく調べる、** **良し悪しをよく調べる**	• We will **study** your proposal before making our final decision. （最終決定する前に貴社のご提案を精査します）
check 正しいか？ 確実か？ 認められるか？ をある一定の標準・基準に照らして **調べる、照合する**	• He gave me the minutes of the meeting to **check**. （議事録の内容を調べるために、彼は私に渡した）
give a thought すぐには答えが見つからないので…、すぐには返事ができないので… **ちょっと考えてみるよ**	• I'll give this matter a little more thought and get back to you. （この件についてもう少し考えてから、貴殿に返事します）
think over 決定・決心する前に、 **慎重によく考える、熟考する** お願いや依頼をされて、その場で決定・決心をしにくいとき、 **『とりあえず返事を後にしたい』** というような場合に使います。	• We would like to have some more time to think it over. （この件をもう少し慎重に考えたいので、少し時間をください）

5　inform と provide

社内英語の間違いランキングで、常に上位にくるものとして、次の 2 つがあります。

「○○を知らせる：　inform ○○」

「△△を提供する：　provide △△」

試しに、自分のメールだけでなく先輩や同僚のメールをちょっと見ていただければ状況がすぐに理解できます。その間違いの多さにビックリしますよ。

適切な用法

知らせる

• inform　＋　人　＋　of　＋　内容

Please inform us **of** the closing date for the bid.

（入札の締切日を知らせてください）

提供する

• provide　＋　人　＋　with　＋　物

ABC will provide its clients **with** the best IT solutions.

（ABC 社は、お客様に対して最良の IT ソリューションを提供します）

6 「が、」は使わない！

日本語の文章や会話で、皆さんの癖になっている

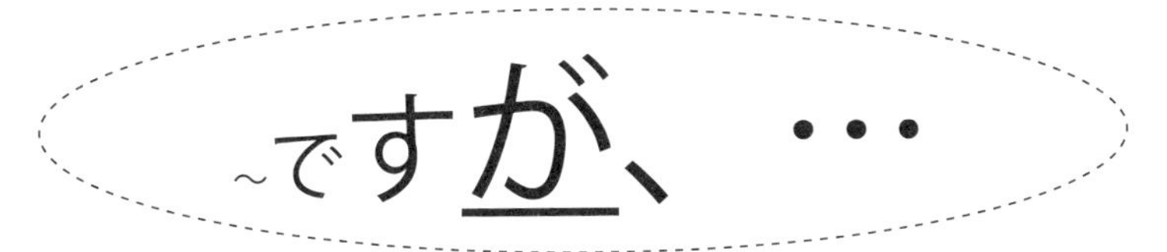

〇〇の件ですが、…
打合せの日程ですが、…
～の提案書ですが、…
～の会議ですが、…
お手数ですが、…
恐縮ですが、…
申し訳ありませんが、…

～を調査しましたが、…
～を検討しましたが、…
～に説明しましたが、…
～に報告しましたが、…

「が、」を使うと、会話や文章がダラダラとつながって長くなり、焦点がぼけます。更にその延長線上で英会話や英作文すると、当然のことながら長たらしい、わかりにくい内容になります。これでは海外ビジネスにおいて全く理解してもらえません。

ビジネス英語を上達させるためには、会話や文章をコンパクトにして、ポイントを押さえて、スパッと明確に内容を言い切ることが必要です。

「が、」を使わない

すなわち、「**が、**」の代わりに「。(句点)」を入れて、「**〜です**。」「**〜しました**。」と言い切って、文章をそこで止めてください。そしてその後ろから、次の新しい文章を始めてください。するとメッセージ全体がキリッと締まってコンパクトになり、内容がはっきりしてきます。

やってみると実際には、すごく難しいことがわかります。しかし、これを乗り越えると、驚くことに日本語だけでなく英語もすごく簡潔になり、英語圏のビジネス相手にとって内容が非常にわかりやすくなります。これこそ上級者の英語です。

これからは「**が、**」を絶対に使わずに、報告書やメールの文章作成だけでなく、会議での発表やプレゼンなどの口頭の説明にも挑戦してください。

英語力の向上に効果抜群です！

〔付録〕英文レターのモデル集

最後に英文レターの代表的なサンプルを 6 つ示します。必要なところだけ入れ替えて、できるだけそのまま使えるようにしました。ぜひフル活用してください。

1. Congratulations: **New CEO**（client）
   （祝辞：CEO への就任〈お客様の場合〉）

2. Congratulations: **New CEO**（client or partner）
   （祝辞：CEO への就任〈お客様または協働者の場合〉）

3. Congratulations: **Celebrating anniversary**（partner）
   （祝辞：創立記念を祝う〈協働者の場合〉）

4. Congratulations: **Celebrating anniversary**（partner or vendor）
   （祝辞：創立記念を祝う〈協働者やメーカー・業者の場合〉）

5. Letter of Thanks: **Meeting at the conference**（client）
   （礼状：会議会場での面談〈お客様の場合〉）

6. Condolences: **Bereavement**（royalty）
   （お悔やみの手紙：追悼〈王室・皇族などの場合〉）

1. Congratulations: New CEO (client)

（祝辞：CEO への就任〈お客様の場合〉）

《Letterhead》 （社名入り書簡用紙にて）

Date (MM DD, YYYY)
（日付：月、日、年）

Recipient's name （受信者の氏名）
Recipient's title （受信者の職位）
Recipient's company name （受信者の社名）
Recipient's company address （受信者の会社住所）

Dear Mr. (または Ms.) ____________ : （________様：）

I am very happy to learn of your appointment as President and Chief Executive Officer of Asia Research Corporation.(注1)

（アジア・リサーチ株式会社の社長兼最高経営責任者に御就任されたことをうかがい、大変喜ばしく思っております）

On behalf of ABC, I extend my sincere congratulations on your promotion to the position.

（ABC 社を代表し、この度の職位御昇進に対し心よりお祝い申し上げます）

I am convinced of the continued growth of Asia Research under your strong leadership, and look forward to maintaining the long-standing relationship between the two organizations.

（貴台の優れたリーダーシップのもとでアジア・リサーチの今後もご盛栄を確信しておりますとともに、両社の間に末永く友好関係が続きますことを願っております）

Finally, I extend my wish for your success and prosperity in your new position.

（結びに、貴台の新しい職位におかれての御成功と御幸運を祈念しております）

Respectfully yours, 〈結辞〉

Signature （署名）
Name （氏名）
President & CEO （社長兼最高経営責任者）

注1：最初に記載する社名は、略さずに正式名称に。それ以降は、略称でかまわない。

2. Congratulations: New CEO (client or partner)

(祝辞：CEO への就任〈お客様または協働者〉)

《Letterhead》 (社名入り書簡用紙にて)

Date (MM DD, YYYY)
(日付：月、日、年)

Recipient's name (受信者の氏名)
Recipient's title (受信者の職位)
Recipient's company name (受信者の社名)
Recipient's company address (受信者の会社住所)

Dear Mr. (または Ms.) ＿＿＿＿＿: (＿＿＿＿様：)

We at ABC are delighted to learn that you have been appointed as [President and Chief Executive Officer / Chairman of the board of directors(注 1)] of Asia Research Corporation.(注 2)

(貴台がアジア・リサーチ株式会社の〔社長兼最高経営責任者／取締役会会長〕に御就任されたことをうかがい、ABC 社の社員一同、大変うれしく思っております)

Please accept, on behalf of ABC, my sincere congratulations.

(ABC 社を代表し、心よりお祝い申し上げます)

We look forward to maintaining and enhancing the excellent business relationship between the two companies, while again wishing you a successful career in your new position as [President and CEO / Chairman of the board (of directors)] of Asia Research.

(両社の間の良好な取引関係を保持し、さらにまたこれを高めることを願っており、同時に、貴台がアジア・リサーチの〔社長兼最高経営責任者／取締役会会長〕という新たな職位でご成功なさることを併せて願っております)

Respectfully yours, 〈結辞〉

Signature (署名)
Name (氏名)
President & CEO (社長兼最高経営責任者)

注 1：職位は、正式な通信文や受信者の名刺に記載されたものを使う。最初に記載する職位は、略さない。

注 2：最初に記載する社名は、略さずに正式名称に。それ以降は、略称でかまわない。

3. Congratulations: Celebrating anniversary (partner)

（祝辞：創立記念を祝う〈協働者の場合〉）

《Letterhead》 （社名入り書簡用紙にて）

Date (MM DD, YYYY)
（日付：月、日、年）

Recipient's name （受信者の氏名）
Recipient's title （受信者の職位）
Recipient's company name （受信者の社名）
Recipient's company address （受信者の会社住所）

Dear Mr. (または Ms.) ________ : (______様：)

Please accept my sincere congratulations on the [50th] anniversary of Asia Research Corporation.(注1)

（アジア・リサーチ株式会社の創立〔50〕周年を記念して心よりお祝い申し上げたいと思います）

We highly value Asia Research's [cooperation / technology / reliability] and the remarkable achievement which your activities in the past [five decades / 50 years / half century] represent, and regard them as essential elements in strengthening the ties between [country name] and Japan.

（過去〔50〕年間に亘る御活躍が証明するように、アジア・リサーチの〔協調性／技術力／信頼性〕や特筆すべき実績への弊社の評価は非常に高く、○○国と日本の絆を深めるためには必須であると認められています）

We wish Asia Research continued success for the next [decade / years / century] and look forward to maintaining the good relationship between our two organizations.

（これから〔幾十年／幾年／幾世紀〕もの間、アジア・リサーチが更なる成功を重ねていかれることを願うとともに、両社間の友好関係を持続させていきたいと思います）

Respectfully yours, 〈結辞〉

Signature （署名）

Name （氏名）
Senior Vice President （専務取締役（専務執行役員））

注1：最初に記載する社名は、略さずに正式名称に。それ以降は、略称でかまわない。

4. Congratulations: Celebrating anniversary (partner or vendor)

（祝辞：創立記念を祝う〈協働者やメーカー・業者の場合〉）

《Letterhead》　　（社名入り書簡用紙にて）

Date (MM DD, YYYY)
（日付：月、日、年）

Recipient's name　（受信者の氏名）
Recipient's title　（受信者の職位）
Recipient's company name　（受信者の社名）
Recipient's company address　（受信者の会社住所）

Dear Mr. (または Ms.) ＿＿＿＿＿ :　（＿＿＿＿様：）

On behalf of ABC, it is my great pleasure to congratulate you on the [50th] anniversary of Asia Research Corporation.（注1）

（ABC 社を代表し、アジア・リサーチ株式会社の創業〔50〕周年を心よりお祝いします）

The department has made tremendous progress since its inception.

（貴本部は設立以来、非常に大きな成果をあげられておられます）

I take this opportunity to wish you and all the management and staff of Asia Research every success in all your future endeavors.

（この機会をお借りしまして、アジア・リサーチの経営陣やスタッフの皆々様の今後の取り組みに大きな成功を祈っております）

Respectfully yours,　〈結辞〉

Signature　（署名）
Name　（氏名）
Executive Senior Vice President　（上席副社長）

注1：最初に記載する社名は、略さずに正式名称に。それ以降は、略称でかまわない。

5. Letter of Thanks: Meeting at the conference（client）

（礼状：会議会場での面談〈お客様の場合〉）

《Letterhead》　　（社名入り書簡用紙にて）

Date（MM DD, YYYY）
（日付：月、日、年）

Recipient's name　　（受信者の氏名）
Recipient's title　　（受信者の職位）
Recipient's company name　　（受信者の社名）
Recipient's company address　　（受信者の会社住所）

Dear Mr.（または Ms.）__________ :　（________様：）

I congratulate you on the resounding success of the［World Petrochemical Conference 2020］organized by Asia Research Corporation.（注 1） It was my great pleasure to meet with you at this［conference］.

（アジア・リサーチ株式会社の開催による〔2020 年 世界石油化学会議〕の大成功を、お祝い申し上げます。この〔会議〕にて貴台にお会いできたことは非常にうれしく思っております）

We are extremely honored to have been given the opportunity to embark on your［XYZ project］. As I told you during the［Annual Management Meeting］, we will be delighted for any other opportunity to serve Asia Research and contribute to the prosperity of［country name］.

（貴社の〔XYZ プロジェクト〕を遂行する機会を弊社に与えていただきましたことは大変光栄であります。〔年次マネッジメント会議〕にてお話しさせていただきましたように、弊社がアジア・リサーチのお役にたち、〔○○国〕の繁栄に貢献できるどのような機会も大変うれしく思います）

I again extend my sincere appreciation to you for taking the time to meet with us, and look forward to seeing you again in the near future.

（わざわざ時間を割いてお会いしていただけたことに対し、重ねて御礼申し上げますとともに、近いうちにまたお会いできることを願っております）

Respectfully yours,　　〈結辞〉

Signature　　（署名）
Name　　（氏名）
President & CEO　　（社長兼最高経営責任者）

注 1：最初に記載する社名は、略さずに正式名称に。それ以降は、略称でかまわない。

6. Condolences: Bereavement (royalty)

（お悔やみの手紙：追悼〈王室・皇族などの場合〉）

《Letterhead》（社名入り書簡用紙にて）

Date (MM DD, YYYY)
（日付：月、日、年）

Recipient's name（受信者の氏名）
Recipient's title（受信者の職位）
Recipient's organization name（受信者の組織名）
Recipient's organization address / country name（受信者の組織住所または国名）

Your Excellency:（閣下：）

I was shocked and saddened to learn of the passing of [Crown Prince ______].（注1）
（[______皇太子]の逝去を知り、非常に大きな驚きと悲しみを感じております）

On behalf of ABC, I express my deepest condolences to your Excellency and the bereaved family.
（ABC社に代わり、閣下ならびに残された遺族のみなさまに謹んでお悔やみを申し上げます）

Our thoughts are with you.
（深い悲しみを、お察しいたします）

Respectfully yours,〈結辞〉

Signature（署名）
Name（氏名）
President & CEO（社長兼最高経営責任者）

注1：名前は略さず、Mr. / Mrs. / Ms. は省く。敬称はそのままつける。

【参考文献】

Oxford Advanced Learner's Dictionary, 8th edition
Merriam Webster's Secretarial Handbook, First and Third Edition
The best punctuation book, period., June Casagrande

索　引

※本索引はアルファベット順→五十音順に並んでいます。数字はその項目を含むページ数です。

〈アルファベット順〉

【A】

【B】

【C】

〈**五十音順**〉

ビジネス英語便利帳

● 2020 年 2 月 28 日　初版発行 ●

● 著　者 ●
生駒　隆一

● 監修者 ●
ケリー　伊藤

● 発行者 ●
吉田　尚志

● 発行所 ●
株式会社　研究社
〒 102-8152 東京都千代田区富士見 2-11-3
電話　営業 (03)3288-7777 (代)　編集 (03)3288-7711 (代)
振替　00150-9-26710
http://www.kenkyusha.co.jp/

KENKYUSHA
〈検印省略〉

● 印刷所・本文レイアウト ●
研究社印刷株式会社

● 装丁 ●
安賀　裕子

● イラスト ●
八島　ねこ

ISBN 978-4-327-43095-5 C0082 Printed in Japan